不知道自己不知道

康桥／编著
潘方尔／绘

上海辞书出版社

人生360度
一分钟经典故事

目录

1. 思路决定出路

2. 定位决定品位

3. 眼界决定境界

4. 格局决定结局

5. 观念决定一切

1.

思路决定出路

☞ 思路决定出路，观念决定贫富。眼光看多远，事业就有多大！

☞ 这条河，实际上把两种不同的东西分开了，不是在一个岸上，很难走在一起，这是此岸和彼岸的关系。

☞ 我送你四句话吧：把自己当别人，把别人当自己，把别人当别人，把自己当自己。

☞ 生活中我们也常常碰到类似的难题，干了一辈子的工作，却越干越迷茫，甚至丢失了方向，这时便不得不正本溯源。

☞ 我要勇敢地担当起自己的使命，不管将来会出现什么困难，我都将以一往无前的人类精神，去承担摊派到自己头上的这一份命运。

故事 1

L 要过河

从前，在一个遥远的国度，有条小河，河面不是很宽，但水流很急。

河的此岸，住着一个女孩，她的名字叫 L。她喜欢河对岸的一个男生，他的名字叫 B。L 只有过河，才能向 B 表达自己的心意，但她自己又没有能力过河。

于是，她只好去求河这岸的 H 和 S。

H 听了 L 的叙述后，对 L 说："我可以帮你过河，但是有一个条件，你得先嫁给我。" L 想，我要是嫁给你，怎么去追求

B呢。

于是，她又找到了S。听了L的叙述之后，S说："我可以帮你过河，我也有一个条件，我不需要你嫁给我，我只需要一夜情就够了。"

L只能在H和S之间作出选择，她就同意了S的条件……S果然履行了诺言，把L送过了河。

这个时候，B知道了L和S、H之间的故事，他对L说："你为了来追求我，付出了很多的代价，这个让我很感动，但是这不能作为我爱你的理由。你过去的一切，都跟我毫无关系。"

L想，伤心总是难免的，只好很伤心地回来了。

河对岸还有一个人，是一个叫M的女生，她知道他们4个人的所有事，最后决定嫁给B。

故事结束了。

这个故事实际上是一道心理测验，它要

求你按照心目中从好到坏的顺序给这五个人排个序。

那么，现在你排好了吗？不需要深思熟虑。

人生 5 大问题

按照排列组合的原理，最终结果有 120 种。

排列无所谓对错，实际上，这 5 个人代表了人生 5 大要素，你的排列顺序代表了你对这 5 大要素的重视程度。最关键的是，你把谁排在第一位?

L 代表 LOVE（爱情），H 代表 HOME（家庭），S 代表 SEX（性），B 代表 BUSINESS（事业），M 代表 MONEY（金钱）。

不论你把谁排在第一，都是有理由的：

把 L 排在第一位的原因是：L 是一个爱情至上者，她是为了爱情而奋不顾身的人；

把 H 放在第一位的原因是：H 是个负责任的人；

把 S 放在第一位的原因是：S 是讲求公平交易的人；

把 B 排在第一位同样有理由：因为 B 很冷静；

如果你把 M 排在第一位，可能是因为她很豁达，既往不咎。

这是一道非常好的心理测验，曾经征服过无数人，它深刻反映了你内心对这 5 大要素的思考。

有一个答案出乎意料：那是一个美国人。他的第一个选择是 S，并且解释说只有 S 是 FAIRPLAY（公平交易）。这深刻地反映了美国人的观念。

这条河，实际上把两种不同的东西分开了，因为爱情、家庭和性是在一起的，而事业和金钱是在一起的。他们不是在一个岸上，很难走在一起，这是此岸和彼岸的关系。尽管 L 可以喜欢 B，但是最终嫁给 B 的只能是 M。

我们联想到：自古以来，忠孝不能两全，正如此岸和彼岸泾渭分明一样。

一个小故事，往往可以给我们带来很多启示。

故事 2

假如全世界人口缩成 100 人的村庄

假如将全世界的人口缩成一个 100 人的村庄，再按照比例来计算的话，那么，这个村庄将有：

57 名亚洲人、21 名欧洲人、14 名美洲人、8 名非洲人；

52 名男人和 48 名女人；

89 名异性恋和 11 名同性恋；

6 个美国人拥有全村 89% 的财富；

80 人住房条件不好；

70 人是文盲；

50 人营养不良；

1 人正在死亡，1 人正在出生；

只有 1 人拥有电脑；

只有 1 人拥有大学文凭。

如果你能够用这种眼光来看待世界，那么，你眼中的世界就会发生重大的变化：

如果你每天早上起床时身体健康，那么，你比其他一半人更幸运；

如果你从未尝试过战争的危险、牢狱的孤独、酷刑的折磨和挨饿的滋味，那么，你的处境比其他 5 亿人更好；

如果你的冰箱里有食物、身上有衣穿、有房可住及有床可睡，那么，你比世上 75% 的人更富有；

如果你银行里有存款、钱包里有票子、罐子里有零钱，那么，你属于世上 8% 最幸运的人；

如果你父母双全并且没有离异，那么你的确是很稀有的地球人；

如果你大学毕业，并且还有一台电脑，那么，你真的应该谢天谢地。

总之，你真的很幸运！

酷评

我们如何看世界

其实，世界并没有因我们的眼光而发生任何变化，变化的，只是我们看待世界的方法。

请环顾四周……

你看到的结论是：99% 的人不如你。即使这 1% 中，还有许多人根本不知道自己的幸运。如果你还拥有健康，你真的是天之骄子！

既然知道这样的优裕处境，那么，我们现在应该想一想：我们怎么办？

除了珍惜这一切之外，我们应该做些什么？

故事 3

拜访智者的少年

一位 16 岁的少年去拜访智者，问：“我怎样才能变成一个自己快乐、别人也快乐的人呢？”

智者笑着说：“我送你四句话吧。第一句：把自己当别人。”

少年说：“这是不是说，在我感到痛苦的时候，把自己当成别人，这样痛苦就减轻了；而当我欣喜的时候，把自己当成别人，这样狂喜也会变得平和一些？”

智者点头。

智者接着说：“第二句话：把别人当自己。”

少年沉思片刻说：“这样，就可以真正同情别人的不幸，理解别人的需要，并给予适当的帮助。”

智者两眼放光，继续说：“第三句话是：把别人当别人。”

少年说：“这是不是说，要充分尊重别人的独立性，在任何情况下都不能侵犯他人的核心领地？”

智者大笑：“很好，很好，孺子可教！”

智者接着说：“第四句话，把自己当自己。这句话理解起来太难，你留着以后慢慢品味吧！”

少年说：“也好。不过这四句话我怎样才能把他们统一起来呢？”

智者答：“很简单，你用一生的时间来经历。”

酷评

把自己当自己

这第四句话，是颇值得玩味的。

今天是读书节，叔叔阿姨们
都在扯读书的作用。
我觉得读书的真正意义
应该是明白自己的无
知才对。
老潘印信

如何理解“把自己当自己”，的确不是容易的事情。它至少有这样一些含义：

第一，自信。我是独一无二的，天地之间有个我，我有自己的能力，天生我材必有用。

第二，自强。我明白：在这个世界的任何地方，都是用实力说话。力量，只有力量，才是这个世界的共同语言。

第三，自立。我要勇敢地担当起自己的使命，不管将来会出现什么困难，我都将以一往无前的人类精神，去承担摊派到自己头上的这一份命运。

第四，自省。我明白自己目前的处境，知道此时此刻自己是什么身份。因此，我所做的一切都要符合自己的身份，万一出现任何差错，我都会好好地反省。

第五，自爱。我要珍惜自己的羽毛，明白什么是对的，什么是错的。珍惜自己的名誉，让光荣与梦想伴随我一生。

的确，“把自己当自己”这句话，虽然听上去很简单，但真的要用一生的时间来经历。

故事 4

道不可言

有一天，泰清去向无穷请教："你知道'道'是什么吗？"

无穷说："不知道。"

泰清又去向无为请教："你知道'道'是什么吗？"

无为说："知道。"

泰清十分高兴，继续问道："能具体说明一下你所知道的'道'吗？"

无为说："可以。我所知道的'道'，贵可以为帝王将相，贱可以为仆役奴隶；可以聚合为生，也可以分散为死。”

后来泰清对无始说：“无穷说他对‘道’一无所知，无为却把道说得活灵活现，究竟谁道行更高?”

无始说：“说自己不知道‘道’的人是深邃之士，称自己知道‘道’的人是浮浅之徒，前者属于内行，后者则冒充内行。”

听无始这么一说，泰清不由感叹道：“怎么不知便是知，知反而为不知?”

无始说：“道不可听，听得到的就不是道；道不可见，见得到的就不是道；道不可言说，能用语言说出来的就不是道。一听见有人问‘道’便马上出口回答的人，其实根本不知道‘道’，而问道的人也不可能听见‘道’。道不可问，也不可答。”

泰清越听越糊涂，只好摇头而去了。

酷评

道教是一种独特的思考角度

《老子》五千言，开宗明义就指出：“道

可道，非常道。”意思是，“道”这种东西，如果可以言说的话，那它就已经不是原来意义上的“道”了。

道教讲究致虚、宁静、归根、复命。故事中，修行了一辈子的人，竟然回答不出“道”究竟是什么。“道”，真的如此虚无缥缈、难以言说、不可琢磨吗？

生活中我们也常常碰到类似的难题，干了一辈子的工作，却越干越迷茫，甚至迷失了方向，这时便不得不正本溯源。教育的本质，陶行知说是“捧着一颗心来，不带半根草去”，而苏格拉底却说是“打破砂锅问到底”；法律的本质，有人认为是统治阶级的意志，也有人则觉得是保护人民。由此可见，对于一个事物本质的认识，角度不同，定义也就不同。

“道”就是规律，比如说，所有的人都离不开吃喝拉撒睡、行动坐卧走，所有的人都不能脱离动物性。即使奴隶主也不能禁止奴隶吃饭、睡觉、排泄等生理规律。这就是最基本的“道”！看来，重要的并不是辨出“道”究竟是什么，而是要永葆童心，这样才能看出“道”。

道教，为我们提供了一个看问题的独特角度。

故事 5

菩提本无树

六祖慧能是岭南（今广东）人，幼年丧父，家境十分贫穷，靠卖柴来赡养母亲。

一天，偶然间听到《金刚经》，颇有感悟，于是决定离家去拜谒当时最著名的弘忍禅师。见面之后，两人之间展开了一段有趣的谈话。

——“你从哪里来？”

——“岭南。”

——“来干什么呢？”

——“只求作佛。”

——“岭南人野蛮不开化，怎么能够成佛呢?”

——“人有南北之分，佛性也有南北?”

弘忍禅师听慧能这么说，就知道他不是一般人，不容小觑，就把他留下来修行。

不久，为了选拔继承人，弘忍禅师把700多名弟子召集到一起，命他们每个人以修行体验作一偈，最契合佛法的将是禅宗的第六代宗师。

弘忍禅师的大弟子神秀知识渊博，通晓佛教内外的学问，其他弟子很推崇他，大家在下面议论纷纷，说六祖的称号非他莫属。

神秀果然不负众望，在墙上写下一偈：

身是菩提树，心如明净台。
时时勤擦拭，勿使惹尘埃。

大意是：我们原本纯净光明的本性，有如明镜一般，只不过被犹如灰尘的烦恼覆盖了。为了恢复它的本来面貌，我们必须不断地擦拭覆盖在表面的灰尘。

慧能听了这首偈，叹了口气：“美则美矣，了则了矣。”意思是说写得很漂亮，但这不是最终的佛理。大家都说是这个小和尚不知天高地厚，口出狂言。

到了晚上，慧能来到墙壁旁边，举着蜡烛，在神秀的偈子旁边写道：

菩提本无树，明镜亦非台。
本来无一物，何处惹尘埃。

慧能的偈子是说：如果本性清净，根本就没有值得烦恼的事。既然没有了烦恼，又何必辛苦费心地去消除烦恼呢？真是一语道破常人对烦恼的执着。

其实，弘忍禅师很赏识慧能。但是他怕把衣钵传给慧能会让其他弟子不服气，引起争端。

当天深夜，弘忍禅师单独将慧能叫到自己面前，亲自把法宝袈裟传给他，并嘱咐他离开此地出去隐居，等今后时机成熟再出来施教。

酷评

世界上没有两片相同的叶子

这两首偈代表了两个人不同的认识，也代表了两种不同的思路。

神秀大师认为事情要靠自己的努力来擦拭灰尘，而慧能大师认为根本就没有灰尘。我们不能轻易地判断两人孰对孰错，只不过是两种不同角度的认识。

就好比李白和杜甫，一个是诗圣，一个是诗仙。我们不能因为自己喜欢谁，就说谁的诗更好，也不能说究竟谁的境界更高。

这个世界上没有两片一模一样的叶子，也不会有两个一模一样的人。天底下没有人像你这样看待事物，具备你这样的幽默感，跟你有一样的价值观与兴趣爱好，或像你那样聪明、勤奋、忍耐或专注，像你那样无微不至或视野开阔。除非你是孪生子，否则就

连相貌方面能与你相像的也没有。是的，绝没有人说话的口气、方式与你一模一样，没有人与你口味一样、行为方式一样，没有人曾站在你的位置上经历你所经历过的事情，没有人与你走同一条路。你独一无二，不可替代。

所以，当你和别人在意见上发生分歧的时候，微笑着告诉自己：“这不过是一片与我不一样的叶子罢了！”

故事 6

骆驼战胜天敌

在广袤的沙漠或者草原，骆驼的天敌只有狼。

狼一向以凶残著称于世，它用牙齿作武器，征战厮杀，获取食物。在这一点上，骆驼肯定不是狼的对手。

不过，骆驼却有另一手——它的生存手段不是进攻，而是逃跑。

每当骆驼与狼相遇，狼总是急切地发起进攻，企图速战速决。而骆驼却从不仓促应战，常常是吼叫一声，便撒开四蹄狂奔起来。

狼哪里肯放弃就要到嘴的美味，就拼命追赶。它没有料到，这一追就恰巧中了骆驼的计，狼必死无疑。

一开始的奔跑速度，骆驼当然不如狼，但跑着跑着，狼就慢下来了。骆驼见状就主动放慢，给狼一点鼓励、一点希望。狼果然中计，继续用力追赶。骆驼就继续逃跑，一副精疲力竭的样子，实际上真正精疲力竭的是狼。

骆驼一点一点地把狼引向无水无食无生命的大漠深处……

狼用完最后一点力气，四肢发软，口吐白沫，便一命呜呼了。

而此刻，骆驼的力气还足着呢。

就这样，骆驼打败了自己的天敌。

酷评

打破“马太效应”

“马太效应”说：强者恒强，弱者恒弱。

骆驼是食草动物，而狼则是食肉动物。

初听上去，作为弱者的骆驼打败作为强者的狼，似乎是天方夜谭。然而，事实上弱者可以打败强者。

其实，骆驼不是把狼打垮的，而是用耐力和智慧把狼拖垮的。在这一点上，骆驼把自己的优势发挥到了极致，扬长避短，最终取得了胜利。坚持到最后，所有的不利因素全部消失，一举改变一路上被动挨打的局面，骆驼成为胜者，成为强者。

狼的贪婪本性，害了自己；而骆驼正是利用狼的贪婪本性，救了自己。由此可见，归根结底，狼是被它自己打败的。

人也一样。一个人最难战胜的，是他自己。所以，中国有句古话："有容乃大，无欲则刚。"

打破"马太效应"，也就是要反败为胜，以自己的优势击败对手，让自己成为强者。

在具体方法上，骆驼用的是耐力和智慧。除此之外，还有坚韧、勇气、忠诚、力量、坚持、计谋……一切皆可为我所用，一切皆能走向最终的胜利。

【四欲讽歌】
人欲横流笑谈中
四欲齐飞似烟空
占有欲强如虎狼
财富如山梦未穷
竞争场上斗智勇
胜者为王败者空
虚荣心起镜中花
名声背后都是泪 权力欲重难自持
只手遮天终成空 笑看人间四欲舞 打油诗里
寻轻松 名利双收终是梦 知足常乐乐无穷

故事 7

结

五十年前，一个年轻人远离家乡。在他离开之前，他的恋人送给他一条用红绒线打成的同心结。后来，这个结一直挂在他的腰间。

几年后，年轻人在遥远的城市结婚生子了。日子一天天、一年年地过去，恋人的音容笑貌渐渐模糊了，故土的家园，也在脑海中逐渐淡去。

年轻人也慢慢变成了老人。直到暮年，他还是对着这个同心结长叹……

直到有一天，他的孙子孙女把结拿在手

里玩，无意中拉拉扯扯抢来抢去，这个结竟然很容易地就被打开了。

结打开后，只是一条长长的简单的线，而且再也编回不到从前的样子了。

老人恍然大悟：线，本来只是单纯的线，通过人的手，会被编成结。

那么，如果通过人的心呢？那就会变成心结。

线可以打成结，但解结为线也不是难事。

如果我们明白了这个道理，还有什么放不开呢？

解开你的情结

所谓的“结”，通俗一点说就是“疙瘩”。心里有疙瘩的人还真不少，世界上有很多“结”，比如俄狄浦斯情结——杀父娶母；乡结——落叶归根……还有世界上最有名的结——中国结，也代表着一种绵绵情意的集合，层层思念的编织。所以说，很多人心有千千结，但是没有找到解开的绳子头。

一根线很乏味，你完全可以尝试着去欣赏一个结。结很漂亮，值得玩味，未尝不是一件好事。但是，一旦心事郁积成结，那就不是什么好事了。

其实，就像看似繁复的中国结往往只由一两根线编结而成一样，世界上很多复杂的事情也有着可以釜底抽薪的一刹那。所以，最关键是要看出结构，找出那个可以一举攻下的突破口。

相传黄河上游有一种优质木材，是绝好的建筑用料，但是采伐后难以运输。有人想出来一个办法——把大量木头扔到河里，让它随水流自然漂到下游。但是在尝试后却发现，木头漂了一段距离以后就都挤在一起了，河道也被堵了。采伐工人连忙找了一位老师傅来，老师傅整整观察了两天，才找到了最重要的“结”：两根木头。原来，只要把这两根木头一抽，所有的木头就可以疏通，并继续漂流了。

最重要的，就是要找到解结的关键。

故事 8

鱼骨刻的老鼠

在一个远方的国家，有两个非常杰出的木匠，他们的手艺都很好，难以分出高下。

有一天，国王突发奇想："到底哪一个才是最好的木匠呢？不如我来举办一次比赛，然后封胜者为'全国第一的木匠'。"

于是，国王把两位木匠找来，为他们举办了一次比赛，限时三天，看谁刻的老鼠最逼真，谁就是全国第一的木匠；不但可以得到许多奖品，还可以得到册封。

在那三天里，两个木匠都不眠不休地

工作。

到第三天，他们把雕好的老鼠献给国王，国王把大臣全部找来，一起做本次比赛的评审。

第一位木匠刻的老鼠栩栩如生、纤毫毕现，甚至连鼠须也会抽动。

第二位木匠的老鼠则只有老鼠的神态，却没有老鼠的形貌，远看勉强是一只老鼠，近看则只有三分像。

胜负即分，国王和大臣一致认为第一个木匠获胜。

但第二个木匠当场抗议，他说："大王的评审不公平。"

工匠说："看一只老鼠是不是像老鼠，应该由猫来决定，猫看老鼠的眼光比人还锐利呀！"

国王想想也有道理，就叫人到后宫带几只猫来，让猫来决定哪一只老鼠比较逼真。

没有想到，猫一放下来，都不约而同扑向那只看起来并不像老鼠的"老鼠"，啃咬、抢夺。而那只栩栩如生的老鼠却完全被冷落了。

事实摆在面前，国王只好把“全国第一”的称号给了第二个木匠。

事后，国王把第二个木匠找来，问他：“你是用什么方法，让猫也以为你刻的是真老鼠呢？”

木匠说：“大王，其实很简单，我只不过是用鱼骨头刻了只老鼠罢了！猫在乎的根本不是像与不像，而是腥味呀！”

酷评

重新审视自己的思路

“猫在乎的根本不是像与不像，而是腥味。”很好的思路！这就是为什么“全国第一”的称号最后属于第二个木匠。显然，在他的心里，比赛时雕刻一只老鼠全然不是手艺活儿的问题，而是用什么方法和手段获得胜利的问题。

都市中应付日常生活的人们，他们头脑

人相见互相问来者何人
你可知岁月虽长情谊在
却不记得你是谁

清醒，目标明确，大多数人的行动和付出都是为了一个词——利益。这是一个很简单的问题。举个例子，对于即将步入大学的学子，在经济学专业和历史专业中二选其一，几乎所有人都会选择经济学，这一点毫无悬念。

为了生存，有太多人已经忘了生存以外的问题，就像雕刻比赛已然失去了原来的意义，取而代之的是考虑猫的品位。

现代社会中，人们已经麻木，成为工作的机器。几乎任何一个受过高等教育的人，对于如何生存有着直接清晰的认识。于是乎繁忙如你我，早已湮没在现代化大潮中，再也难觅悠然见南山的闲适情怀，也失去午后享用红茶松饼的片刻惬意时光。忙里偷闲看两部电影，已然是对自己莫大的奖励。

这就是我们生存的年代。由于快节奏的现代化生活，我们很难拥有古人的闲散时光。

行色匆匆的人们，或许可以适时停一下脚步，用心审视一下自己的生活。你的忙碌究竟为了什么？

故事 9

海水为什么是蓝的

1921 年，碧波万顷的地中海。

印度科学家拉曼在英国皇家学会上作了声学与光学的研究报告，取道地中海乘船回国。阳光融融，暖风徐徐，深蓝色的海面上跃动着鳞片状耀眼的光斑。甲板上漫步的人群中，一对印度母子的对话引起了拉曼的注意。

——“妈妈，这个大海叫什么名字？”

——“地中海！”

——“为什么叫地中海？”

——“因为它夹在欧亚大陆和非洲大陆

之间。”

——“那它为什么是蓝色的?”

年轻的母亲一时语塞，求助的目光正好遇上了在一旁饶有兴味倾听他们谈话的拉曼。拉曼告诉男孩:“海水所以呈蓝色，是因为它反射了天空的颜色。”

在此之前，几乎所有的人都认可这一解释，它出自英国物理学家瑞利勋爵。这位以发现惰性气体而闻名于世的大科学家，曾用太阳光被大气分子散射的理论解释过天空的颜色，并由此推断，海水的蓝色是反射了天空的颜色所致。

但不知为什么，在告别了那一对母子之后，拉曼总对自己的解释心存疑惑，那个充满好奇心的稚童，那双求知的大眼睛，那些源源不断涌现出来的“为什么”，使拉曼深感愧疚。作为一名训练有素的科学家，他发现自己在不知不觉中丧失了男孩那种到所有的“已知”中去追求“未知”的好奇心，不禁为之一震!

拉曼回到加尔各答后，立即着手研究海

水为什么是蓝的，他发现瑞利的解释实验证据不足，令人难以信服，便决心重新进行研究。他从光线散射与水分子相互作用入手，运用涨落理论，获得了光线穿过净水、冰块及其他材料时散射现象的充分数据，证明出水分子对光线的散射使海水显出蓝色的机理，与大气分子散射太阳光而使天空呈现蓝色的机理完全相同。他进而又在固体、液体和气体中，分别发现了一种普遍存在的光散射效应——后来被人们统称为“拉曼效应”，为20世纪初科学界最终接受光的粒子性学说提供了有利的证据。

地中海轮船上那个男孩的问号，把拉曼领上了1930年诺贝尔物理学奖的奖台。拉曼成为印度也是亚洲历史上第一个获得此项殊荣的科学家。

那个有着无穷问题的男孩子与他的母亲在地中海上经历的故事，不断地提醒人们：永远不要放弃你对“已知”的好奇心，也许新的发现就在你“已知”的“未知”之中。

酷评

永远保持好奇心

失去好奇心是科学发现与发展中最大的忌讳，即使是一个颇有作为的科学家，也会因此而变得闭目塞听，止步不前。

1932年，法国物理学家约里奥·居里夫妇虽然已经遇到了中子，由于没有作出正确的解释，轻言α粒子轰击铍后产生的射线为

γ 射线，而与中子失之交臂，错过了发现中子的机会。而年轻的英国核物理学家查德威克，从重复约里奥 · 居里夫妇的实验到发现中子，前后不到一个月，因而后来获得 1935 年度诺贝尔物理学奖。

不过，居里夫妇并没有从此唉声叹气，他们在痛骂自己“愚蠢”之后，继续实验，在用 α 粒子轰击氢元素的核反应实验过程中，发现了第一个人工放射性核素，并证实了正电子的存在，因而获得了 1935 年度诺贝尔化学奖。

德国化学家李比希，对从海藻中提取碘时沉淀下来的一层深褐色液体，轻率地贴上了一张氯化碘的标签，而使法国青年化学家波拉德成为新元素溴的发现者。事后，李比希痛心疾首，视那张标签为耻辱，贴在床头日夜为鉴。最终，他成为“有机化学之父”。

所以，无论在科学上还是在人生上，有了好奇心，我们就能在前人的基础上，打破常规，大胆创新，不断有所发现，有所创造，有所前进。

故事 10

减少奖金也很感人

某公司原先事业蒸蒸日上，但今年利润大幅下滑。

快过年了，照惯例，年终奖金最少加发三个月的工资，可今年顶多只能给一个月的工资作奖金。

“许多员工恐怕飞机票、新家具都订好了，只等拿奖金就出去度假或付账单呢！”董事长忧心忡忡地说。

总经理也愁眉苦脸：“好像给孩子吃糖，每次都抓一大把，现在突然改成两颗，小孩一定会吵！”

董事长突然灵机一动，有了主意……

没过两天，公司突然传来小道消息——

“由于营业不佳，年底要裁员，上层在确定具体实施方案。”

顿时，公司上下人心惶惶，人人担心被裁员。

不久，总经理又宣布：“大家同在一条船上，再怎么危险，也不能牺牲共患难的同事，只是年终奖不能发了。”听说不裁员，人人都心中石头落地，都作好了过个穷年的打算。

突然，董事长召集各单位主管紧急会议，看主管们匆忙上楼，员工们面面相觑：“难道又变卦了？”

是变卦了！

没几分钟，主管兴奋地冲进自己的部门高喊：“有了！有了！还有年终奖，整整一个月的，马上发下来，让大家过个好年！”

公司大楼爆发出一片欢呼，连坐在顶楼的董事长都感到了地板的震动……

换一种说法

换一种说法，换一种积极的说法。

同一个意思，不同的表达，效果是不同的。

这个故事告诉我们，要充分考虑坏消息的可接受性，发布坏消息的时候，必须充分考虑对方的想法。

其实，这是一个管理问题。管理是一种实践，其本质不是在于知，而是在于行；其验证不在于逻辑，而在于成果；其唯一权威就是成就。

我们要设身处地，为对方考虑。人既是管理的主体，又是管理的客体。对人的管理既可以凭借制度约束、纪律监督，直至用惩处、强迫等手段进行刚性管理；也可以依靠激励、感召、启发、诱导等方法进行柔性管理。

所谓刚性管理，是指根据成文的规章制度，依靠组织职权进行程式化管理；而所谓

柔性管理，则是指依据组织的共同价值观和文化、精神氛围进行人格化管理。

对于领导者来说，与部属相处，应提倡等距离交往。对与自己亲近的，要有意识地拉开距离；对与自己距离较“远”的，应该主动接近。切忌由于乡情、友情、亲情以及性格、秉性、爱好等原因，有意无意地搞拉拉扯扯、亲亲疏疏。同时，懂得欲擒故纵十分重要，这样才能置之死地而后生。

故事 11

从另一个角度解决问题

美国有一家生产牙膏的公司，产品优良，包装精美，深受广大消费者的喜爱，每年营业额蒸蒸日上。但最近几年业绩却停滞下来，每个月维持同样的数字。

董事部对业绩表现感到不满，便召开全国经理级高层会议，以商讨对策。

会议中，有名年轻经理站起来，对董事部说：“我手中有张纸，纸里有个建议，若您要使用我的建议，必须另付我 5 万元！”

总裁很生气地说：“我每月都支付你薪

水，另有红包、奖励，你还要另外要求5万元，是不是过分了？”

“总裁先生，您别误会。若我的建议行不通，您可以将它丢弃，一分钱也不必付。”年轻的经理说。

总裁看了那张纸，说了一声：“好！”马上微笑着签了一张5万元的支票给他。原来那张纸上只有一句话：将现有牙膏管口的直径扩大1 mm。

总裁马上下令更换新的包装。

试想，每天早上，每个消费者都挤出比原来粗1 mm的牙膏，每天牙膏的消费量将增加多少？

这个决定使公司随后一年的营业额增加了30%。

在试图增加产品销量的时候，绝大多数人总是大力开发市场、笼络更多的顾客。如果你转换一下脑筋，增加老顾客的消费量，也能达到同样的目的。

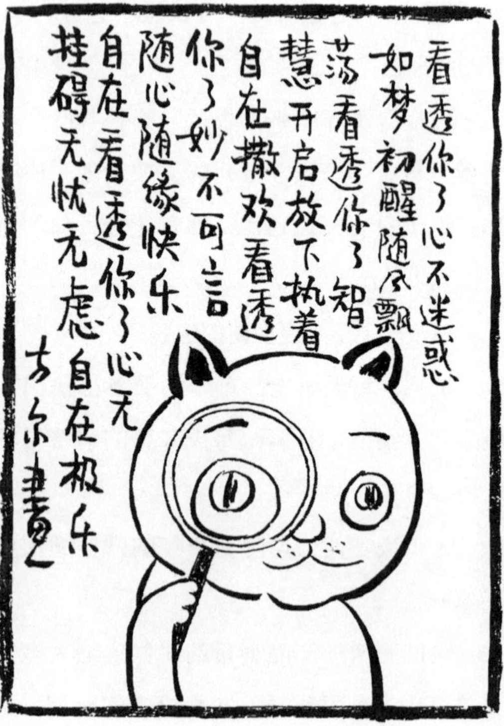
看透你了心不迷惑
如梦初醒随风飘
荡看透你了智
慧开启放下执着
自在撒欢看透
你了妙不可言
随心随缘快乐
自在看透你了心无
挂碍无忧无虑自在极乐
古尔画之

思路决定出路

思路来源于学习和实践，思路是智力、时机与实力相碰撞激发出的火花，是过去的经验、他人的智慧与自己对未来的设想融会贯通的结果。决策者的思路如何，与事业的最终成败息息相关，小到一个单位、一个部门，大到一个地区、一个国家都是这样。物竞天择、优胜劣汰，若要在激烈的竞争中立于不败之地，一定要有清晰、正确的思路作先导。事实证明，思路狭窄、思维呆板僵化，办法与措施也就因循守旧，一用就死，桥断路垮。相反，思路创新，则道路宽广，办法与措施就会层出不穷，越用越顺，前景也必然充满希望。

能够从另一个角度看问题，见人之所不见，善于突破常规，就是思路的创新。很多思路其实就来源于平时工作中一点一滴的积累；是对眼前情况进行分析、调研，并在此基础上作出判断、展开联想所得。通俗地说，思路就在眼前。故事中年轻的经理想到将现有的牙膏管口的直径扩大 1 mm 的主意，就是对此最好的诠释。

21 世纪的三大特点是：速度、变化、危机。人类已经进入知识经济和网络经济时代，知识在以爆炸的形式产生，以光的速度传播。我们需要调整思路：

第一，要看到事物发展的必然性。人类社会就是一个推陈出新、新旧交替、与时俱进的社会，而时代的交替是以工具为标志的。网络经济时代，社会普遍使用的工具是互联网。任何人都可以平等地运用互联网占有无限的资源，拥有更多的财富，发展中国家与发达国家同时站在同一个起跑线上。

第二，要看到财富变化的规律性。一个人在旧时代成功的理由，往往会成为他在新时代失败的原因。不同时代的财富掌握在不同人的手里。奴隶社会的财富在奴隶主手里，资源是奴隶；农业社会的财富在地主手里，资源是土地；工业社会的财富在资本家手里，资源是厂房机器；网络时代的财富在网商手里，因为网商运用互联网，比别人占有更多的信息资源，从而创造更大的财富。互联网，作为网络经济时代的工具，速度快、效率高，已经成为天然的创业工具！所以，比尔·盖茨说："21世纪要么电子商务，要么无商可务。"

第三，要看到成功机会的选择性。这个世界唯一不变的就是"变化"，变化带来了新的危机，同时也产生了新的机遇。我们以往并没有做错什么，而成功者在于今天做对了什么。

思路决定出路，观念决定贫富。眼光看多远，事业就有多大！

名人名言

思考是理性的劳动，而幻想是理性的愉悦。

——雨果

思索的时间长，笔尖上便能滴出血和泪来。

——老舍

我在对露珠的沉思之中，发现了大海的秘密。

——纪伯伦

在你没有进去以前，先想想是否能出来。

——阿拉伯谚语

思而后行，以免做出蠢事。因为草率的行动和言语均是卑劣的特征。

——毕达哥拉斯

错误的想法，迟早要造成错误的行为。

——赫克斯利

不要相信疯子的蛊惑。

——高尔基

失败是教导性的。真正懂得思考的人，从失败和成功中学得一样多。

——杜威

在泥土下面，黑暗的地方，才能发现金刚钻，在深入缜密的思考中，才能发现真理。

——雨果

简单的事情考虑得很复杂，可以发现新领域，把复杂的现象看得很简单，可以发现新定律。

——牛顿

人的思维是了不起的，只要专注于某一项事业，那就一定会做出使自己都感到吃惊的成绩来。

——马克·吐温

愚蠢的人天天感到无聊，聪明人时时在思考。

——俄罗斯谚语

大海的歌是消失在沙滩上呢，还是消失在听海人的心灵深处？

——纪伯伦

懒于思考，不愿意钻研很深入理解，自满和满足于微不足道的知识，都是智力贫乏的原因。这种贫乏通常用两个字来称呼，这就是“愚蠢”。

——高尔基

所有真正的智慧，都是被人曾经思考过千百次；但要使他们成为我们自己的，一定要再经过我们自己再三思考，直至它们在我们个人的经验中生根为止。

——歌德

有天资的人，当他们工作得最少的时候，实际上是他们工作得最多的时候，因为他们是在构思，并把想法酝酿成熟，这些想法随后就通过他们的手表达出来。

——达·芬奇

生命的意义是在于活得充实，而不是在于活得长久。

——马丁·路德·金

若得不到丰富的、充实的生命，那么活着与死亡又有什么区别？

——巴金

人生不是一支短短的蜡烛，而是一支由我们暂时拿着的火炬，我们一定要让它燃得十分光明灿烂，然后交给下一代。

——萧伯纳

如果没有任何目的，如果我们只是为了活而活，那就大可不必活着。

——列夫·托尔斯泰

就人性来说，唯一的向导就是良心。就死后的名声而言，唯一的盾牌，就是廉洁的行为和真挚的感情。

——丘吉尔

人只有献身于社会，才能找出那短暂而有风险的生命的意义。

——爱因斯坦

2.

定位决定品位

☞ 向左走，还是向右走？面对这个严酷的人生逼问，禅宗的回答是：向上走。当你站在高处俯视全局的时候，“一览众山小”的喜悦会让你会心一笑。

☞ 在人生中，我们经常会迷失方向，北斗星虽然可以指路，但天有阴晴雨雪，我们要在人生的各种天气中，发展自己的辨别能力、判断能力和选择能力。

☞ 我们怎样对待生活，生活就怎样对待我们。同样，我们怎样对待别人，别人就怎样对待我们。

☞ 世上绝大多数人不知道自己不知道，以为自己很知道，所以最容易自以为是。

☞ 生活不是一场竞赛。在这条路上，每一步都能令你回味无穷。

故事 12

野狐禅

百丈禅师发现这几天说法的时候，都有一位老人听得特别认真，而且每次说完法都立刻随着大家散去。

但是有一天，这位老人并没有像往常那样跟着大家一起离去。

禅师不禁好奇，走上前去问他："老人家，你怎么还不走呢？有什么事吗？"

老人面带愁容地回答道："我不是人。"

禅师听了并没有感到吃惊。老人见禅师脸上并没有露出诧异之色，顿了顿就继续说：

"迦叶佛的时候，我就住在这里修行。一次，一个云游僧人问我：'大修行的人还会落入因果吗？'我回答说：'不会落入因果。'没想到答错了，因此我被罚，变成了狐狸身，轮回了五百年。禅师您道行高深，能不能替我代传一句话，帮助我早点解脱呢？"

百丈禅师慈悲地点了点头。

老人问道："大修行的人还会落入因果吗？"

百丈禅师应声而答："不被因果蒙蔽。"

老人这才恍然大悟，不住地点头："多谢禅师了，现在我已经解脱了。我就住在山后面，请您按照和尚的礼仪来安葬我。拜托了！"

在后山的洞穴里，禅师真的找到一具狐狸的尸体，于是依言将他火葬了。

酷评

向左走？向右走？向上走！

向左走，还是向右走？面对这个严酷的人生逼问，禅宗的回答是：向上走。

因果问题，有时是个既无法证实，也无

法证伪的问题。正是因为如此，这个话题初看起来显得空泛。遇到类似情况，我们往往就会像故事中的老人那样手足无措。这个时候，禅宗告诉我们，唯一方法就是：不违背因果。

我们常常不知不觉就站在了人生的岔路口。向左，还是向右？这个问题总是严酷地摆在面前，我们会左顾右盼，会迷茫困惑，甚至会迷失方向。亦真亦幻难取舍，向左向右难两全，都会顾此失彼，留下遗憾。更糟糕的是，在彷徨的当口，机遇就这样擦肩而过了……

“欲穷千里目，更上一层楼”，禅宗的“向上走”是颇有深意的。当你站在高处俯视全局的时候，“一览众山小”的喜悦会让你会心一笑。的确，高处的开阔和壮观，让你心胸开阔、目光长远，这是你在低处所无法想象的。如果你从来不曾向上走过，那么，你的人生遗憾又多了那么一点。

向上走，野狐也能悟禅。

故事 13

方向正确才能成功

院士莱文做过很多试验。

他在沙漠中发现一个叫比赛尔的小村庄，从这里走出沙漠只要三天，却从来没有人走出过。

经过调查，他发现那里的人是因为不知道北斗星，所以不能分辨正确的方向，他们走的不是直线而是弧线。因而，无论向哪个方向走，都回到了原地。

当他教会了一个人认识北斗星后，这个人很快走出了沙漠。

人要改变命运，创新生活，除了需要敢于追求的精神，还要选定正确的人生方向。

酷评

规划人生蓝图

做人最大的乐趣在于通过奋斗去获得我们想要的东西。所以，有缺点意味着我们可以进一步完美；有不足，意味着我们可以进

一步努力。

许多人埋头苦干，却不知所为何来，到头来发现成功的阶梯搭错了方向，却为时已晚。按照基督教的说法，人是迷途的羔羊，需要有心灵中的北斗星来指引正确的方向。

人没有预知能力，我们不知道一秒钟之后会发生什么。每个人都渴望被指引，希望自己走的每一步都是对的。这就是为什么这么多人生哲理的书会这么畅销。大众需要被引领，希望先知来传授成功的经验。一语可以改变世界，正如安徒生童话《皇帝的新装》里的小孩，一语点醒了世人。

我们必须拟定目标，并掌握真正的目标，澄明思想，凝聚继续向前的力量。在人生中，我们经常会迷失方向，北斗星虽然可以指路，但天有阴晴雨雪，我们要在人生的各种天气中，发展自己的辨别能力、判断能力和选择能力。

故事 14

生命中的五个球

可口可乐公司总裁唐纳德·基奥，在艾默里大学毕业典礼上，说了一段有关工作与生活中各种事物之间关系的话：

请想象生活是一个比赛，你必须同时丢和接五个球，这五个球分别是：工作、家庭、健康、朋友以及精神生活，你不可以让任何一个球落地。你很快就会发现工作是一个橡皮球，如果它掉下来，会再弹回去，而其他四个球：家庭、健康、朋友以及精神生活是玻璃制成的，如果你让这四个球其中任何一个落下来，它们都会被磨损，甚至会粉碎，而一旦落下，它们将不再和以前一样。

你必须知道这些事，进而在生活中设法求得平衡。但怎么做呢？不要认为你应该与其他人作比较，因为每个人都不同……因此，每个人都是独特的。

酷评

生活的哲理

不要将别人视为重要的事，定为自己要

达成的目标，只有你自己知道自己需要什么。

不要将一切拥有的事物，视为理所当然。要重视生活中所拥有的，因为一旦失去了它们，你的生活将失去意义。

不要活在过去或只是为了未来而活，而让你的生命由指端滑落。重视现在、把握当下，你将每天过着充实的生活。当你仍可以给予时，不要轻言放弃；在你停止尝试之前，没有任何一件事情是已经结束的。

不要害怕承认自己是不完美的，因为正是这种不完美将我们联结在一起。

不要害怕面对风险，我们在尝试中学会勇敢。

不要说真爱难寻，而将爱排除于你生活之外。接受爱的最快方法是给予，将爱握得太紧将会失去它，而保持爱的最好方法是给它自由。

不要匆忙地生活，而忘了自己曾经历过的种种事物，以及自己未来的方向。

不要惧怕学习，知识是没有重量的，你

永远可以轻易地带着它与你同行。

不要挥霍时间或话语，这两样事物是无法收回的。

总之，生活不是一场竞赛。在这条路上，每一步都能令你回味无穷。

故事 15

撒种的比喻

一天，耶稣从房子里出来，坐在海边。有许多人看见他出来了，便到他那里聚集，耶稣开始用比喻对他们讲述关于天国的道理。

他说："有一个撒种的人在田里撒种。但他播散的时候，有的种子被风吹落在路旁，被飞鸟吃光了；有的种子落在土浅的石头地上，土不深，秧苗发得就快，但是太阳出来一晒，因为没有根，秧苗就枯干了；还有的落在荆棘里，荆棘长起来，把它挤压住了。只有那些落在好土里的种子，最后都发了芽、开了花、结了果实，有100倍的，有60倍的，有30倍的。”

门徒上前询问，耶稣解释说：“你们应当听这个撒种的比喻。凡是听见天国的道理后依然不明白的，那恶魔就会来把撒在他心里的善都夺了去，就像飞鸟吃尽撒落在路旁的种子一样；撒在石头地上的，是说人在听了道后，当下欢喜领受，只是因为心里没有根，不过是暂时地接受了，一旦遭了患难，或是受了逼迫，立刻就跌倒了；撒在荆棘里的，是说人听了道后，心里是接受了，但后来又思前想后，患得患失，受钱财的迷惑，把道挤住了，不能够结出果实来；撒在好地上的这个比喻，就是说人听明白了道理，始终保持着虚心和不怀成见的态度，那么结出果实来，那果实有100倍的，有60倍的，有30倍的。”

酷评

假如你是一粒种子

假如你是一粒种子，你该怎么办？

你要去试着寻找适合你生存的最好的土壤，让自己顺利地发芽、开花、结果。但同时你也知道，你很可能落在路旁，落在石头地上，落在荆棘里。所以，你要做好充分的准备。

一个人如果出生在富豪之家，他有很好的物质环境，可以受到很好的教育。但是，家业是父辈打下的，他多半需要子承父业，

因此，很有可能丧失自己的兴趣爱好。一个人如果出生在一贫如洗的家庭，对他来说，成才的路上会有很多难以逾越的障碍。但是，这可以磨练他的意志，他可以选择逆境成才，虽然从统计上来看逆境成才的概率并不是很大。如同落在荆棘丛中的种子，偶尔会有几粒能够倔强地生长起来，但多数种子是不能的。

幸好，我们大多数人生活在比上不足、比下有余的环境中，有一定奋斗的基础，也有发展爱好的空间。这是一种比较正常的生存环境，在这种环境下成长起来的人，也许好不到什么地方，但也不会坏到什么地方。当你沾沾自喜时，你可以看看那些生长在沃土中的种子；当你感到悲哀时，你可以看看那些生长在荆棘中的种子。

故事 16

小孩拼地图

牧师安德鲁每个星期六都为他唠叨的讲道而烦恼。

有天早晨，天还下着雨，而他的小儿子又吵闹不休，令人讨厌。

最后，安德鲁在失望中拾起一本旧杂志，一页一页地翻阅，当翻到一幅色彩鲜艳的大图画——一幅世界地图时，他想了个办法：从那本杂志上撕下这一页，再把它撕成了碎片，丢在地上，说道：

“小约翰，如果你能拼拢这些碎片，我就

给你 2 角 5 分钱。”

安德鲁以为这件事会使小约翰花费上午的大部分时间。但是没过 10 分钟，他的儿子就蹦蹦跳跳地进来了。安德鲁心想，这小家伙又要什么花样了，但当小约翰把完整的地图展开在他眼前时，他惊呆了。

安德鲁弯下腰，搂着小约翰：“宝贝，你怎么这么快就拼好了啊？”他问道。

“啊，”小约翰调皮地说，“这有什么难的，在地图的背面有一个人的照片。我就把这个人的照片拼到一起，然后把它翻过来。我想如果这个人是正确的，那么，这个世界就是正确的。”

安德鲁微笑起来，给了小约翰 2 角 5 分钱。“我知道我明天讲道的主题了，”他说，“如果一个人是正确的，他的世界也就会是正确的。”

酷评

摆正自己的位置

“如果一个人是正确的，他的世界也就会

是正确的。”的确如此，在现实生活中，学会摆正自己的位置，找到自己合适的生存空间，必将收到事半功倍的效果。

这个故事给我们的启示是：

第一，人生本就是个大学堂。如果只是一味地专注于事物的细枝末节，囿于错综复杂的环节，必然消耗大量的时间和精力，结果得不偿失。

第二，换个角度思考问题。同时考虑正反两方面的因素，不要患得患失，仔细地平衡期望与现实的落差，找准切实可行的目标。在人生的道路上，没走到最后，不要轻易言败。

第三，注重现实。不要眼高手低，要从基层做起，在适应社会并积累了一定工作经验之后还是可以理性地选择职位。

如果你是正确的，你的世界就是正确的。

人总是带着自己的观念、知识、阅历、利益、地域等局限甚至偏见去看待世界、解释世界、改造世界。世界本来无所谓对错，错的是人类自己的行为、观念。所以，你的行为、观念、价值观正确了，世界也就正确了，你的不满、烦恼、怨恨、冲突就大大减少，幸福指数就大大增加。

我们怎样对待生活，生活就怎样对待我们。同样，我们怎样对待别人，别人就怎样对待我们。

正确的人生价值观，比任何其他因素都更为重要，这是幸福的基石。

故事 17

铁路工人和铁路总裁

几年前，当一群人正在铁路上工作时，一列缓缓开来的火车打断了他们的工作。

火车停了下来，最后一节车厢的窗户也被打开了，一个低沉而友好的声音响了起来："大卫，是你吗？"

大卫·安德森——这群人的负责人回答说："是我，吉姆，见到你真高兴。"

于是，大卫·安德森受邀与吉姆·墨菲——铁路的总裁——进行了愉快的交谈。在长达一个多小时的交谈之后，两人热情地握手道别。

大卫·安德森的下属立刻包围了他，他们对于他是铁路总裁的朋友这一点，感到非常震惊。

大卫解释说，20多年以前他和吉姆·墨菲是在同一天开始为这条铁路工作的。

这时，其中一个人半认真半开玩笑地问大卫："为什么你现在仍在骄阳下工作，而吉姆·墨菲却成了总裁？"

大卫非常惆怅地说："20年前，我为每小时1.75美元的薪水而工作，而吉姆·墨菲却是为这整条铁路线而工作。"

酷评

志当存高远

伟大的目标，造就伟大的人物。

故事中的两个朋友，20年前，一个为薪水而工作，另一个却是为这整条铁路线而工作；20年后，一个仍然在骄阳下检修铁道，而另一个却成了总裁。可以想见，20年前，

与年俱进
汉语成语，
意思是随
着时间一天天
地增长，形容
不断增长。出自
《宋书·孝武十四王
传》。

他们两人的薪水都是每小时 1.75 美元。然而，20 年后，差距岂止 10 倍！

什么是薪水？它是工作的报酬，但工作绝不仅仅是为了薪水。如果我们仅仅是为了薪水而工作，那么，这意味着我们停止了进步，只是在原来的地方原地踏步。

我们完全可以在工作中找到自己的价值，提升自己的价值。故事中的两个朋友，原先在同一个单位工作，只是态度不同，就造就了如此不同的人生。

同样，我们也完全可以在工作之外寻找自己新的方向，比如通过继续学习，获得一些新的观念、技能、机遇，换言之，一片新的天地。

现实，是我们实现理想的基础；理想，是我们为自己规划未来的计划。

是啊，20 年后，我们会怎样？这是非常值得我们深思的。

故事 18

败笔和妙笔

有位青年画家想努力提高自己的画技，画出人人喜爱的画。为此，他想出了一个办法。

他把自己认为最满意的一幅作品的复制品拿到市场上，旁边放上一支笔，请观众们把不足之处给指点出来。

集市上人来人往，画家的态度又十分诚恳，许多人就真诚地发表自己的意见。到晚上回来，画家发现，画面上所有的地方都标上了指责的记号。也就是说，这幅画简直一无是处。

这个结果对年轻人的打击太大了，他萎靡不振，开始怀疑自己到底有没有绘画的才能。他的老师见他前不久还雄心万丈，此时却如此情绪消沉，不明就里，待问清原委后哈哈大笑，叫他不必就此下结论，换一个方法再试试看。

第二天，画家把同一幅画的又一个复制品拿到集市上，旁边放上了一支笔。所不同的是，这次是让大家把认为精彩的地方给指出来。到晚上回来再取回画时，结果发现画面上所有地方同样密密麻麻地写满了各种记号。一切曾被指责的地方，如今却都换上了赞美的标记。

青年画家乃大彻大悟。

酷评

无愧于心

这位画家或许发现了一个人生奥秘：无论做什么事情，都不可能让所有的人都满意。

在一些人看来是丑恶的东西，在另一些人眼里则恰恰是美好的。

所以，不要期望赢得所有人的满意。

众口难调，你永远无法满足所有人的胃口，高明的厨师会引导大家跟着自己的感觉走，而不是让自己跟着别人走。大多数人都是按他人的反应来作决定，而不是按照自己的意愿去行动。尤其是在向成功幸福跋涉的

路上，一切似乎已经有了约定俗成的标准。可是，那样就会逐渐失去自我。

其实，完全没有必要去求得别人的承认，如果承认来临，你就接受它；如果它没有来临，那么你就不要去想它。让你满足的，应该是工作本身。

中国有一句道德格言，曾经是很多人的为人、为官准则：岂能尽如人意，但求无愧我心。“无愧”的关键是自信，相信自己是对的，相信历史是人民写的。

与此同时，我们正在书写历史。今天的一切，将来都会得到公正的评价。而我们现在面对的，都是今人，他们早晚都有盖棺论定的一天。

相信自己，相信历史，相信后人。勇于判断，勇于实践，勇于坚持。

故事 19

你是个商人

在地铁站里，一个纽约商人朝一个卖铅笔的男人的杯子里扔下一美元，便匆匆上了地铁。一转念，他又下了车，走到刚才的乞讨者面前，从他的杯子里拿起了几根铅笔。他充满歉意地解释说刚才因为太匆忙了，忘了拿铅笔，请他原谅，并且说："毕竟你和我一样，也是个商人，你卖的货物价格也很合理。"然后，他去搭乘下一列火车。

几个月之后，在一次社交集会上，一个穿着整齐的推销员走到这位纽约商人跟前，自我介绍说：“您可能已不记得我了，我也不知道您的姓名，但是我永远不会忘记您，是您让我找回了自尊。我原本是个卖铅笔的乞丐，是您走过来告诉我，我是一个商人。”

酷评

穷人最缺少的是什么

戴尔·卡耐基说：“激发他人去产生一种高尚的动机。”是的，那样你就会看到不同的风景。

这里有一个类似的故事：

法国一位年轻人很穷，很苦。后来，他以推销装饰肖像画起家，在不到10年的时间里，迅速跻身为法国50大富翁之列，成为一位年轻的媒体大亨。不幸，他因患上前列腺癌，1998年在医院去世。他去世后，法国的一份报纸刊登了他的一份遗嘱。

在这份遗嘱里，他说：我曾经是一位穷人，在以一个富人的身份跨入天堂的门槛之前，我把自己成为富人的秘诀留下。谁若能通过回答“穷人最缺少的是什么”而猜中我成为富人的秘诀，他将能得到我的祝贺。我留在银行私人保险箱内的100万法郎，将作为睿智地揭开贫穷之谜的人的奖金，也是我在天堂给予他的欢呼与掌声。

遗嘱刊出之后，有48 561个人寄来了自己的答案。这些答案五花八门，应有尽有。绝大部分人认为，穷人最缺少的当然是金钱了，有了钱，就不会再是穷人了。另有一部分人认为，穷人之所以穷，最缺少的是机会，穷人之穷是穷在背时上面。又有一部分人认为，穷人最缺少的是技能，一无所长所以才穷，有一技之长才能迅速致富。

在这位富翁逝世周年纪念日，他的律师和代理人在公证部门的监督下，打开了银行内的私人保险箱，公开了他致富的秘诀。

他认为：穷人最缺少的是成为富人的野心。

在所有的答案中，有一位年仅9岁的女孩猜对了。为什么只有这位9岁的女孩想到了穷人最缺少的是野心?

在接受100万法郎的颁奖之日，她说：“每次，我姐姐把她11岁的男朋友带回家时，总是警告我说不要有野心！不要有野心！于是我想，也许野心可以让人得到自己想得到的东西。”

谜底揭开，震动法国，并波及英美。一些新贵、富翁就在此话题谈论时，均毫不掩饰地承认：野心是永恒的“治穷”特效药，是所有奇迹的萌发点，穷人之所以穷大多是因为他们有一种无药可救的缺点，也就是缺少致富的野心。

故事 20

恶魔与天使

从前有个小伙子，他深爱着一位姑娘。两人已分别很长时间，他每天都渴望同恋人见面，却始终无法实现愿望。

日子一天天过去，小伙子忍受着爱情之火的煎熬，他的身体开始逐渐消瘦。多少个日夜，他想着心上人，坐卧不安，心中充满了忧伤。医生见他日益消瘦，却束手无策，他们治不了相思病；就连伙伴也不愿再劝他了。除了他的恋人来到身旁，谁也帮不上他的忙。

一天夜晚，小伙子感到希望之火快要燃

尽，他觉得再也无法活下去了，于是离开自己的住所走向市场。突然，他发现一些守夜的更夫跟随在他身后，小伙子不由自主地跑了起来，而更夫却紧追不舍。可怜的小伙子暗暗叫苦，他不停地诅咒："这些可恶的更夫一定是死神的使者，或是一群恶魔，想要抓住我。"当他跑到一座花园的高墙下时，再也找不到逃走的路了。他只好爬上高墙，带着一死的决心跳了下去。

当他跳落在高墙下花园的地面上时，他突然看见了日夜思念的恋人。她手里举着一

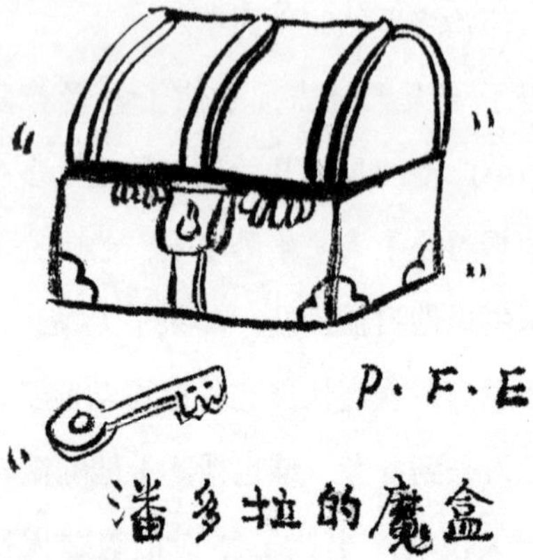

盏灯，正在花园里找她丢失的戒指。小伙子心中充满了无比的喜悦，他深深地吐出一口气，高举双手向上苍祈祷：“主啊，祝福那些守夜的更夫吧！让他们富裕和长寿吧！这些更夫定是报喜天使，指引着可怜的我。”

酷评

期待意外的惊喜

人生的境遇就是那么捉摸不透，它像是一个万花筒，摇一摇，就会有无法预料的安排出现。

痴心的小伙子眼见佳人已渺，伤心之余拖着病歪歪的身子向外走去，不想遇见一群紧追不舍的更夫。本以为难免一劫，岂知拨云见日，小伙子因祸得福，居然因此见到了朝思暮想的姑娘。

古语有云，“否极泰来”。万事都有转机，当你以为一切都难有回旋余地的时候，老天常常奇迹般地让你得到意外的惊喜，正所谓“天无绝人之路”。

“山重水复疑无路，柳暗花明又一村。”很多人都有这样的经历：当你灰心丧气，觉得一切倒霉的事情都降临到你身上的时候，前方总还能看到隐约的希望，就像黑暗中温暖的烛光、溺水时远处漂来的浮木。

有时候，横在你面前的困难并非是置你于死地的毒药，很难说这未必不是通向另一个美好机遇的转换器。当你遇到难以逾越的障碍而感到万分沮丧的时候，想想这个幸运的年轻人。试着告诉自己，勇敢地跨越眼前的艰难，因为再过不久就有一个意想不到的惊喜等着你！

故事 21

孙膑智斗庞涓

春秋时，孙膑与庞涓同拜鬼谷子为师。

后来，两人同为魏王做事。庞涓嫉妒孙膑才识高过自己，便诬陷孙膑是齐国的奸细。魏王听信谗言，将孙膑刖去双膝，并欲杀害。孙膑不得已装疯佯狂，终得齐人之助，逃回齐国。

魏惠王十六年（前 354 年），魏惠王派庞涓进攻赵国，围了赵国的国都邯郸（今河北邯郸）。次年赵国向齐威王求救。齐威王命孙膑为军师，随大将田忌出兵救赵。

孙膑建议：“现在魏国把精兵都派去攻赵，国内十分空虚。我们不如去攻打魏国，庞涓听到一定会弃邯郸往回跑。我们在半道上设伏，准能打败他。”田忌依计。果然，庞涓匆忙退兵赶回魏国，而他的部队刚到桂陵（今河南长垣西北，一说今山东菏泽东北），就钻进了齐兵的包围圈内，被齐军打得落花流水。齐军大胜而归，赵国也趁势收复了邯郸。这就是历史上著名的“围魏救赵”。

齐威王十六年（前341年），魏国又派兵攻打韩国。韩国也向齐国求救。田忌、孙膑出征救韩。同样，孙膑不去救韩，却直接去攻魏国。

魏国由太子申率领大量兵力，抵抗齐军。庞涓赶回去时，齐军已经退了。追击前，他派人去数齐军营垒中的灶迹，一数竟有十万之多，庞涓大吃一惊：“齐军人多，我们不可轻敌！”追了一天，再数齐军遗下的灶迹，只剩五万了。庞涓大喜：“齐兵厌战，更闻风丧胆，逃亡过半了！快追！”到第三天，齐军只有三万个灶了。庞涓再也抑制不住冲动，下令："不顾一切，尽快赶过去，务必活捉孙膑！"自己更披甲执戈，亲自率领二万轻骑，日夜兼程追击齐军。

一直追到马陵（今河北大名县东南，一说今河南范县西南），正值天黑时分，忽然士兵来报："山路让木头堵住了。"庞涓上前一看，发现周围的树都被砍倒了，只留下一棵大树，被剥了皮的树干上好像还有几个字。庞涓忙叫人点火一看："庞涓死于此树下！"他明白中计了，大喊："快撤！"但已经来不及了，山头上齐军万箭齐发，庞涓走投无路，拔剑自杀。

齐军乘胜大破魏军，把魏国的太子申也俘虏了。

孙膑的名声传遍诸侯各国。

酷评

世上绝大多数人不知道自己不知道

世界上的人，分四种：

第一种，不知道自己不知道，代表人物庞涓。庞涓是一个二流的军事家，孙膑才是一流的，相差一个档次，同孙膑玩军事是必死无疑的。当庞涓去犯最低级的错误的时候，他还以为自己是最聪明的——只要杀掉孙膑，自己就是一流的军事家。但是他不知道，他的命运早就写在树上了。世上绝大多数人不知道自己不知道，以为自己很知道，所以最容易自以为是。

第二种，知道自己不知道，代表人物是爱因斯坦。这种人知道自己还有很多东西不知道，所以会一直努力学习，让自己变成一个“知道”的人。这是一个从无知到有知的过程，是能有所收获的。

第三种，知道自己知道，代表人物居里夫人。居里夫人曾经说过，我们具有的才能是要做一些事情的，无论有多么艰难险阻，一定要做成。在这种情况下，我们才能更好地发挥自己的能力，以获得更多的“知道”。

第四种，不知道自己知道，代表人物钱锺书。钱锺书先生学贯中西，做学问不是一般人的得心应手，而是“得手应心”。正是这种对知识无限渴求的天才，就算知道得再多，他也不觉得自己是知道的。

最后一种境界是一般人可以向往但无法追求的。我们可以努力的就是让自己先成为第二种人，然后成为第三种人。

名人名言

求知可以改进人性，而经验又可以改进知识本身……学问虽然指引方向，但往往流于浅泛，必须依靠经验才能扎下根基。

——培根

不会从失败中找寻教训的人，他们的成功之路是遥远的！

——拿破仑

成功者与失败者之间的区别，常在于成功者能从错误中获益，并以不同的方式再尝试。

——爱默生

假如你把所有的错误都犯了以后，最后的结果当然是对的。

——李政道

任何人只要做一点有用的事，总会有一点报酬。这种报酬是经验，这是世界上最有价值的东西，也是人家抢不去的东西。

——亨利·福特

正确的结果，是从大量错误中得出来的；没有大量错误做台阶，也就登不上最后正确结果的高座。

——钱学森

人生中有两条道路是畅通的，一条通往理想，一条通往死亡。

——席勒

理想就是人在不断前进中所追求的坚定不移的范本。

——雨果

理想是指路明灯。没有理想，就没有坚定的方向；没有方向，就没有生活。

——列夫·托尔斯泰

生活好比旅行，理想是旅行的路线，失去了路线，只好停止前进了。生活既然没有目的，精力也就枯竭了。

——雨果

生活中没有理想的人，是可怜的。

——屠格涅夫

理想是人生的太阳。

——德莱塞

理想，能给天下不幸者以快乐。

——高尔基

缺乏理想的现实主义是毫无意义的，脱离现实的理想主义是没有生命的。

——罗曼·罗兰

理想失去了，青春之花也便凋零了，因为理想是青春的光和热。

——罗曼·罗兰

如果一个人头上缺少了一颗指路明灯——理想，那他的生活会是醉生梦死的。

——苏霍姆林斯基

有理想的、充满社会意义的、具有明确目标的生活，是世界上最美好和最有意义的生活。

——加里宁

现实是此岸，理想是彼岸，中间隔着湍急的河流，行动则是架在河上的桥梁。

——克雷洛夫

必须从一种理想主义中去寻找精神的力量。在不使我们骄傲的情况下，这种理想可以把我们的希望和幻想上升到一个很高的境界。

——居里夫人

每个人都有一定的理想，这种理想决定着他的努力和判断方向。

——爱因斯坦

理想不抛弃苦心追求的人，只要不停止追求，你们会沐浴在理想的光辉之中。

——巴金

3.

眼界决定境界

☞ 我们通常接受儒家的入世思想，强调个人对社会的贡献。但是作为个体本身，我们同时还应该考虑自身的需求。道家为我们提供了这样一个观点：有用未必有利，无用未必无利。

☞ 参禅前，看山是山，看水是水；参禅时，看山不是山，看水不是水；参禅后，看山仍是山，看水仍是水。

☞ 中国有句古话："耳听为虚，眼见为实。"其实，在很多时候，眼见也未必为实，因为我们看到的，往往是表面现象。也就是说，我们很可能被表面现象所蒙蔽。

☞ 据说麻省理工学院师生和校友的科研成果创造的价值，如果作为一个国家的 GDP，都可以排在全世界第 24 位。这就是高等教育内部深刻的本质变化。

故事 22

庄子谈道

庄子在山中行走，看见有一棵非常高大的树木，枝叶也长得相当茂盛，可是一旁的伐木工却不动手去砍。他觉得很奇怪，便问那人是什么缘故。

伐木工回答道："因为材料不好，没有用处。"

庄子感叹道："这棵树因为无用，所以能够享尽上天赋予它的寿命啊！"

庄子从山里出来，顺道去看访一个友人，友人见了庄子很高兴，就命童仆杀一只鹅请客。

童仆问道："有一只会叫的鹅，还有一只不会叫的鹅。应该杀哪一只呢？"

主人说："杀那只不会叫的。"

庄子的学生不解地问道："山里的树木因为无用，而能保全寿命。主人的鹅又因为无用而被杀死。请问先生究竟是做一个有用的人好，还是做一个无用的人好？"

庄子笑道："我选择处于'有用'和'无用'之间。处于'有用'和'无用'的中间，看来近似于处世免害之道，然而这与有道德的人隐晦自己并不相同，所以还是不能免于物累。若心怀道德以处世，就不必论'有用'和'无用'了。既没有荣誉，也没有毁辱。或如神龙现露，或如虫蛇隐伏。顺时变化，永不偏滞专于一物。或屈或伸，以天地中和之道为度量。寄心于未曾有物之先。主宰物而不被物所拘泥。怎么会受物累呢？这是黄帝和神农处世的方法。至于万物的情理和人类的变化就不是这样了：有合就有分，有成就有毁。清廉必定被损伤，高贵就会倾覆，有作为就要吃亏。贤人心志高尚，遭人忌恨，必定被人谋害；常人知识浅薄，又被人欺诈。哪里能免于物累呢？唉，可叹啊！你们要记住，处世若要免于物累，只有归往道德了。”

酷评

寻求“有用”与“无用”的平衡点

关于“有用”和“无用”的探讨，是最典型的老庄哲学命题。

我们通常接受儒家的入世思想，强调个人对社会的贡献。但是作为个体本身，我们同时还应该考虑自身的需求。道家为我们提供了这样一个观点：有用未必有利，无用未必无利。

站在人生的十字路口，究竟应该向左走还是向右走？

不要再烦恼了，一旦你思考，就会陷入两难的境界。其实，无论是向左还是向右，都各有利弊。不如选择向上走，寻求一种超脱。

所以，不必为你的“无用”而痛心疾首，要知道“有用”的人说不定也正在自怜自艾。正所谓“人怕出名猪怕壮”，是非也多，好事上门也就算了，可偏偏坏事也会马上接踵而来。因此，不如摆出一贯平平常常、自然而然的态度，关键时刻露那么一小手，既不会招人忌恨，也能够受到赞许，何乐而不为？

儒家的积极入世与道家的消极无为，构成了中国哲学的阴阳两极。老庄哲学为中国人的心灵提供了一个退避空间，成功时做儒家的信徒，失败时做道家的弟子，这不失为一种很好的心灵归宿。

故事 23

苏东坡悟道

翰林学士苏东坡和照觉禅师论道，谈及“情与无情，同圆种智”这个话题后，突然有所省悟，因而作了“未参禅前”“参禅时”“参禅悟道后”三偈，表明心得。

未参禅前的境界是：

横看成岭侧成峰，远近高低皆不同；
不识庐山真面目，只缘身在此山中。

到了参禅时，其心得是：

庐山烟雨浙江潮，未到千般恨不消；
到得还来别无事，庐山烟雨浙江潮。

及至参禅悟道以后，其心境是：

溪声尽是广长舌，山色无非清净身；
夜来八万四千偈，他日如何举似人？

酷评

简单还是复杂

这是苏东坡参禅的三个层次，是参禅的三个阶段：参禅前，看山是山，看水是水；参禅时，看山不是山，看水不是水；参禅后，看山仍是山，看水仍是水。

真理是朴素的代名词。真理不是把简单的事情复杂化，而是把复杂的事情简单化。

简单与复杂是相对的，又是可以互相转换的。世上有许多复杂的事情，实际上未必很复杂，主要是人们对其缺乏认识，一旦认

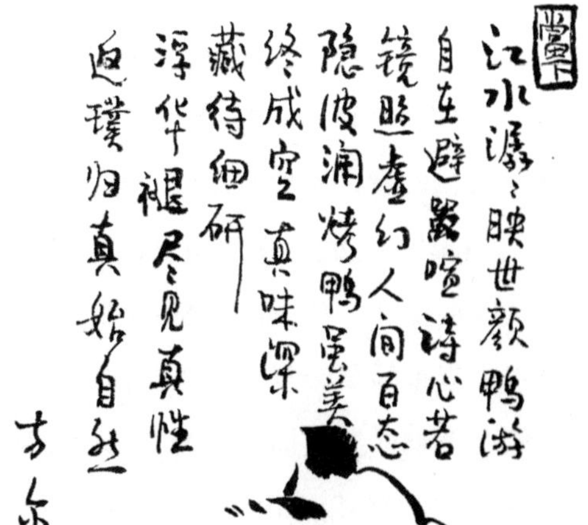
江水潺潺映世颜鸭游
自在避嚣喧诗心若
镜照尘幻人间百态
隐波澜烤鸭墨美
终成空真味深
藏待细研
浮华褪尽见真性
返璞归真始自然
方尔画

识了，也就由复杂变为简单了。而另一些事物看似很简单，可一旦实际做起来又很复杂。这实际上也是个认识问题，由于认识上的偏差，人们对原本复杂的东西只看到表面的或简单的那部分，而真正复杂的部分未看到，这就要求我们看事物要看全面、看主流、看本质，这样才能正确看清事物的简单与复杂。

真理很简单，但人的认知不那么简单。世界本来就是简单和复杂的综合体，我们不能像切西瓜那样把它们一切为二，但正是复杂和简单的相互作用才促使世界不断前进。

在实践过程中，我们不妨把复杂的事情简单做，简单的事情重复做。有的时候，简单到了极致，便是力量。

故事 24

有些事并不是你想象的那样

两个旅行中的天使，到一个富有的家庭借宿。

这家人对他们并不友好，并且拒绝让他们在舒适的客房过夜，而是把他们安置在冰冷的地下室的一个角落。当他们铺床时，较老的天使发现墙上有一个洞，就顺手把它修补好了。年轻的天使问为什么，老天使答道：“有些事并不像它看上去那样。”

第二晚，两人又到了一个非常贫穷的农

家借宿。

主人夫妇俩对他们非常热情，把仅有的一点点食物拿出来款待客人，然后又让出自己的床铺给两个天使。

第二天一早，两个天使发现农夫和他的妻子在哭泣，他们唯一的生活来源——一头奶牛死了。

年轻的天使非常愤怒，质问老天使为什么会这样，第一个家庭什么都有，老天使还帮助他们修补墙洞，第二个家庭尽管如此贫穷还是热情款待客人，而老天使却没有阻止奶牛的死亡。

“有些事并不像它看上去那样，”老天使答道，“当我们在地下室过夜时，我从墙洞看到墙里面堆满了金块。因为主人被贪欲所迷惑，不愿意与人分享他的财富，所以我把墙洞填上了。昨天晚上，死亡之神来召唤农夫的妻子，我让奶牛代替了她。所以，有些事并不像它看上去那样。”

眼见未必为实

中国有句古话："耳听为虚，眼见为实。"

其实，在很多时候，眼见也未必为实，因为我们看到的，往往是表面现象。也就是说，我们很可能被表面现象所蒙蔽。

孔子的一位学生在煮粥时，发现有脏东西掉进锅里去了，连忙用汤匙捞起，正想倒掉，但想到一粥一饭都来之不易，便把它吃了。刚巧孔子走进厨房，以为他在偷食，便教训了几句。经过解释，孔子才恍然大悟。

有位小学老师，课间休息时，发现一个学生在爬教室的门，当即就批评了他，但学生很委屈。仔细一了解，才知道他是帮同学去捡一个落在门框上的毽子。所以，非但不应该批评，反而应该表扬。有些时候，事情表面上看起来，并不是它实际的样子。

有一位百岁老人，生于19世纪90年代，到了2000年，刻了一方印章：年跨三世纪。别人问他长寿秘诀，他总是说："手不怕动，脑不怕用。”其实，家里人知道，他的人生哲学是：吃亏是福——表面上吃点亏，暂时吃点亏，其实没什么。

故事 25

资源整合

一位老人临死前向他的朋友托孤。

也许是因为年纪大了，也许是因为弥留之际，难免有些糊涂，他对朋友说："我希望这个孩子第一成为世界银行的副总裁，第二成为洛克菲勒财团的董事，第三成为总统的女婿。"

他的朋友很为难，但想到老人快死了，就答应了。

他想了好久，终于想出了一个办法。

他先找到世界银行的总裁，对他说："我

向您推荐这位年轻人，他是洛克菲勒财团的董事，并且即将成为总统的女婿，你愿意任命他为世界银行的副总裁吗？”

总裁答应了。

用同样的方法，他又使这个孩子成为了洛克菲勒财团的董事。

最后，他自信地对总统说：“这个年轻人是世界银行的副总裁，洛克菲勒财团的董事，你愿意他成为你的女婿吗？”

老人的临终嘱托，终于如愿以偿地实现了。

酷评

一加一大于二

当然，这完全是一个虚构的故事，在现实生活中，肯定不会发生。

这则故事虽然不符合生活的真实，但是符合艺术的真实。它生动地表明，资源整合是何等重要！

所谓资源整合，就是充分调动原有的资

等待命运套圈来
宇宙法则难抗拒
星星闪烁各不同
自由非心所愿想
认知之中藏答案
心境开阔天地宽
万物运行有定章
老潘画
印信

源。原先处在不同地方的东西，可以调度在一起，互为补充，相辅相成，发挥更大的作用。

所谓资源整合，就是化腐朽为神奇。原先没有用的东西，可以变废为宝。

所谓资源整合，就是集合团队的力量。“三个臭皮匠，赛过诸葛亮。”个人可以组合成团队，单兵作战可以变成集团军作战，陆海空协同作战。

所谓资源整合，就是一种巧计。同样的油盐酱醋，在一个高明的厨师手里，可以变出一桌可口的佳肴。

所谓资源整合，就是一加一大于二。

故事 26

留个缺口给别人

一位著名企业家在作报告，结束后安排提问。

有位听众问：“你在事业上取得了巨大的成功，请问，对你来说，最重要的是什么？”

企业家没有直接回答，他拿起粉笔在黑板上画了一个圈，只是并没有画圆满，留下一个缺口。他反问道：“这是什么？”

“零！”

“圆圈！”

“未完成的事业！”

"成功！"

——台下的听众七嘴八舌地答道。

他对这些回答未置可否："其实，这只是一个未画完整的句号。你们问我为什么会取得辉煌的业绩，道理很简单：我不会把事情做得很圆满，就像画个句号，一定要留个缺口，让我的下属去填满它。"

酷评

人格有高低

人无完人，留个缺口给他人，并不说明自己的能力不强。实际上，这是一种管理的智慧，是一种更高层次上带有全局性的圆满。给猴子一棵树，让它不停地攀登；给老虎一座山，让它自由驰骋。也许，这就是用人的最高境界。

人无完人，留个缺口给他人，可以让别人有评价的余地。有一种嫉妒，不是"你行，我比你更行"，而是"你行，我要让你不行"！人家会从政治、经济、生活作风等方面给你找缺点。实在找不出缺点，还有最后一个谁也逃不掉的厉害的“撒手锏”——这家伙骄傲！总之，不把你变成与他们一样的俗人，是不会罢休的。如果故意暴露一些缺点出来，别人就可以获得心理平衡——啊，原来他也有缺点。于是，天下太平，大家相安无事。也许，这就是做人的一种生存哲学。

人无完人，这是不错的。然而，这并不是说人与人都一样。金无足赤，尚有含金量的高低，人又岂能一样？所以，我们做人，就要做高含金量的人、高附加值的人。也许，这就是做人的一种自我目标。

人无完人，人格有高低。有一个游客，到寺庙参观，发现和尚住的禅房锁着门，就在门上写了一行字：“佛门无内外”，意思是说，和尚还有什么秘密！他转了一圈回到这里，发现有人续写了一句：“人格有高低。”也许，这就是做人的一种基本认识。

故事 27

老外买柿子

美国的一个摄制组，想拍一部关于中国农民生活的纪录片。

他们来到中国某地农村，找到一位柿农，说要买他 1 000 个柿子，请他把这些柿子从树上摘下来，并演示一下贮存的过程。谈好的价钱是 1 000 个柿子给 160 元人民币，折合 20 美元。

这位柿农很高兴地同意了。

于是，他找来一个帮手，一人爬到柿子树上，用绑有弯钩的长杆，看准长得好的柿子用劲一拧，柿子就掉了下来。下面的一个人就从草丛里把柿子找出来，捡到一个竹筐里。柿子不断地掉下来，滚得到处都是。下面的人则手脚飞快地把它们不断地捡到竹筐里，同时还不忘高声大嗓地和树上的人拉着家常。

在一边的美国人觉得这很有趣，自然全都拍了下来，接着又拍了他们贮存柿子的过程。

美国人付了钱就准备离开，那位收了钱的柿农却一把拉住他们说："你们怎么不把买的柿子带走呢？"美国人说不好带，也不需要带，他们买这些柿子的目的已经达到了，这些柿子还是请他自己留着。

天底下哪有这样便宜的事情呢？那位柿农心里想。于是，他很生气地说："我的柿子很棒呢，质量好得很，你们没理由瞧不起它们。"

美国人耸耸肩，摊开双手笑了。他们就让翻译耐心地跟他解释，说他们丝毫没有瞧不起他这些柿子的意思。

翻译解释了半天，柿农才似懂非懂地点点头，同意让他们走。但他却在背后摇摇头感叹说：“没想到世界上还有这样的傻瓜！”

酷评

不同的世界，不同的规则

这位柿农不知道，他的 1 000 个柿子虽然原地没动地就卖了 20 美元，但那几位美国人拍的采摘和贮存柿子的纪录片，拿到美国去却可以卖更多的钱。

这位柿农不知道，在那几个美国人眼里，他的那些柿子并不值钱，值钱的是他们的那

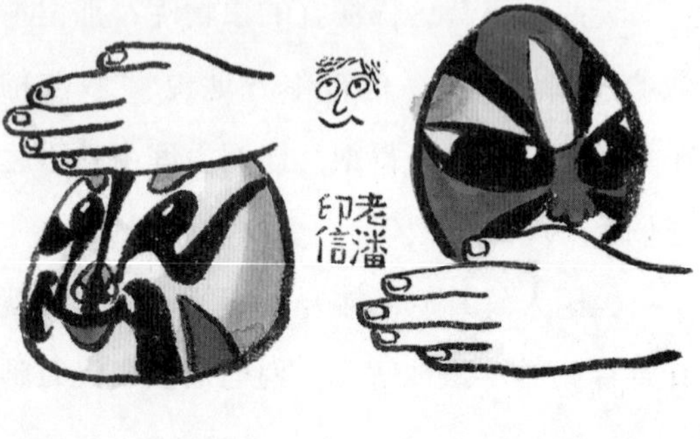

种独特有趣的采摘、贮存柿子的生产生活方式。

这位柿农不知道，一个柿子在市场上只能卖一次；但如果将柿子制成“信息产品”，一个柿子就可以卖一千次一万次甚至千千万万次。

这位柿农很地道，很质朴，很可爱，但他在似懂非懂的情况下就断定别人是傻瓜，他的可爱也就大打折扣了。

柿农的蝇头小利，比起那几个美国人的利益来说，实在不算什么，故事看起来是讲人与人之间的差别，其实对企业决策者同样有教育意义。

明智的人总会在放弃微小利益的同时，获得更大的利益。

故事 28

野人

道树禅师从小就饱读诗书，年近五十的时候才被高僧度化出家，拜附近的明月山上慧文禅师为师。

道树禅师觉得自己年纪已大，出家太晚，只有付出更多的努力才会有所成就。于是他四处游历，拜访高僧。后来果真在东都洛阳遇见神秀禅师，如愿以偿，悟到了佛理。

从此，道树禅师就在寿州三峰山上盖了一座简陋的小茅屋，在那里落脚了。

荒山野岭上经常出现三三两两的野人，

穿得很朴素，但是言谈诡异，有时候化作佛祖的样子；有时候又装作菩萨、罗汉、天仙的模样；有时候放出神奇的光芒；有时候又发出奇怪的声音。禅师的弟子看了以后都不知道是怎么回事，感到很奇怪，相互猜测不断。只有禅师一人不闻不问，不理睬他们。

春去秋来，就这样过了十年。有一天，野人忽然消失得无影无踪，茅屋周围又恢复了以往的宁静。有的弟子不解就去问禅师了。

禅师这才正言告诉弟子们："以前那些幻象都是野人使出来的伎俩，专门迷惑众人的。可是只要老僧我不去看，不去听，他们的伎俩终究有穷尽的一天，而我不看不听，心中的宁静却没有穷尽的时候。"

酷评

凭一双慧眼，看事物本质

只有透过表象看到本质，我们才能看到别人所无法看到的东西，具有独到的见解。这是一种本事，既不是与生俱来，也不是那么容易就能得到。

就像禅师那样，不为野人变换的幻象所迷惑，随着时间的慢慢推移，幻象都会消失，本质就会自然显露出来。而我们大多数人由于生活节奏快，工作压力大，心气浮躁，根本无法静下心来，往往就像那些弟子一样流于表面，被野人一时的幻象所蒙骗。

抓不住事物的本质，往往就找不到事情的症结，直接影响到我们能否得出正确的判断。从事任何一个行业，都要看穿它最本质的变化，这个行业在未来是否有前途。

有人对高等教育有着本质上的认识，认为高等教育有三种类型，走过了三个阶段：从最初以英国剑桥大学为代表的教学型大学，到以德国柏林大学为代表的科研型大学，直到21世纪以美国麻省理工学院为代表的创业型教育。据说麻省理工学院师生和校友的科研成果创造的价值，如果作为一个国家的GDP，都可以排在全世界第24位。这就是高等教育内部深刻的本质变化。

故事 29

庄子丧妻

庄子的妻死了，惠子前去吊丧。

他来到庄子家中一看，庄子正对着妻子的尸体席地而坐，两腿像簸箕一样随意曲伸着，一边敲着瓦盆，一边高声歌唱。

惠子十分气愤，走上前对庄子说："你与死去的妻子共同生活了那么多年，她为你生儿育女，日夜操劳。现在她老死了，你不哭也就罢了，居然还敲着瓦盆高歌，你不觉得太过分了吗？"

庄子放下手中乐器，缓缓回答道："不是

这样的。你没有看到我悲伤的时候，她刚死那会儿，我悲痛万分。每次我看到家里她曾经用过的东西，就不禁触景生情，睹物思人，心里如同刀割一般。”

“但后来，我领悟了。”庄子站起身继续说道，“你看那春夏秋冬自然变化。春天，新草初生；夏天，绿树成荫；秋天，果实累累；冬天，则万物凋零。一年四季，从春到冬，再从冬到春，一切都自然而然地变化着。人的生命正如这春夏秋冬的变化一样。人起初是没有生命的，更不用说形体和气息了，恍恍惚惚间才从无到有，现在又经过变化回到死亡。她现在安安静静地躺在天地之间，而我反而在一旁哭哭啼啼，这不是没有明白天命的表现吗？所以，我停止哭泣而放声高歌。”

酷评

看穿一切，包括生死

人作为自然界的一员，作为一种生物，

必然有生有死。在时间的长河中，生只是暂时的，死却是永恒的。

对于死亡，人有着一种与生俱来的复杂情绪，不单是自己的死亡，亲友的死亡，哪怕是一个毫不相干的人的死亡，也能激起我

们内心的涟漪。无论哪一个个体、哪一种形式的死亡，都提醒着我们生命的脆弱。道理大家都明白，但是要真正看穿生死却并不是件容易的事。

坚强地面对死，很难；坚强地面对活，更难。我们必须明白，生命的意义不在于它的量，而在于它的质。正如臧克家所说的："有的人活着，他已经死了；有的人死了，他还活着。"

人的生命是有限的，我们每一个人都只不过是暂时地活着，但是，事业可以延续这种短暂的生命，让你得到永生。从这种意义上而言，我们的生死其实是由后人来决定的。2 000 多年前的庄子，他的言行却仍旧在不断被提起，在今人的耳畔萦绕不止，就好像他依然活在当下。

我们不妨回想一下100年前的人和事，能想起多少。然后再思考一下，100年之后又有谁会想起我们呢？

故事 30

陈抟辞朝命

相传陈抟五六岁时便通晓了八卦大意，从此无书不看，飘飘然有出世之志。18 岁那年，父母双亡，他便抛散家财，隐居在山中。后来，他梦见毛女传授他高深的大法。

许多达官贵人不远千里慕名而来，陈抟却侧身而卧，不予理会。众人见他鼾声如雷，纷纷叹息而去。

唐明宗听说了他的高名，御笔亲书派使者持诏征他出山。陈抟不敢违抗圣旨，只得来到洛阳谒见天子。

见了天子，陈抟长揖不拜，满朝文武大惊失色，明宗却不嗔不怪，感叹说：“高士是不可用常理来对待的。”说完，就派人将他送到礼贤馆，悉心照料。

陈抟早晚只是在蒲团上打坐。明宗三番五次驾幸礼贤馆，不巧逢他睡卧，不敢惊醒他就回去了。皇帝心知他是异人，愈加敬重，想让他担任要职，陈抟根本不答应。

丞相冯道向明宗建议说：“眼下正值风雪交加之际，陈抟独坐蒲团，必然寒冷。陛下可派一使者，带上一坛佳酿，再选美女三人送给他佐酒暖足。他如果喝了酒，又留下了美女，不愁他不接受官爵！”

明宗点头称是，从宫中选出妙龄少女三人，外加一坛美酒，派内侍送去，并传达旨意：“天气奇冷，皇上特赐美酒消遣，又赐美女给先生暖足，望先生万勿推辞。”

陈抟欣然收下美酒，开怀畅饮，对送来的美女，也不推辞。明宗龙颜大悦。第二天早朝完毕，便派冯丞相到礼贤馆接陈抟入朝，加官授爵。

冯丞相领旨前去，只见三个美女都在房中，陈抟却早已不见了踪影。他见势不妙，忙问："陈抟先生哪里去了？"

美女回答说："陈先生喝完御酒倒头便睡，五更时才醒。他说我们一夜辛苦，无物相赠，于是题诗一首，让我们回复天子，然后飘然出门而去。"

冯丞相无奈，只好领着三个美人回朝见驾。明宗一看，那诗写的是：

雪为肌体玉为腮，多谢君王送得来。
处士不兴巫峡梦，空烦神女下阳台。

明宗读后，叹息不已，派人四处寻访，毫无消息。

酷评

境界有高低

陈抟的故事若是放在今天，也许有很多

人要看不惯了。执政者能够欣赏你的才华，愿意委以重任；更可贵的是，在你百般推辞之后，人家非但没有动怒，反而还献上厚礼，尽量满足你的各种需求。这样的明主可遇而不可求，大多数人一定会热血沸腾，恨不得两肋插刀以报知遇之恩。

偏偏陈抟却不领情，甚至不知好歹地跑路了。这无疑是有恩不报——假如我们那样想，那就与陈抟的境界相差实在太远了。

当我们能够深刻理解并掌握一种规律后，我们就会明白，除了这种规律，人世间其他的一切都只是障碍。这种规律，就是道。陈抟正是得道之人，他应该过的是清静无为、闲云野鹤的生活。荣华富贵在世人的眼中是美好的追求，在他看来却是成功路上的绊脚石。

圣人的判断标准和价值观念与俗人是不一样的，这一点我们不得不承认。所以我们才说“人类一思考，上帝就发笑”，在上帝眼中，人类的想法能不幼稚，能不可笑吗？

所以，要承认境界有高有低，不要试图去用自己的眼光来评判高人。

名人名言

一个人的价值唯有与他人相对照，才能衡量出来。

——尼采

真正有价值的东西，不是出于雄心壮志或单纯的责任感，而是出于对人和客观事物的热爱和专心。

——爱因斯坦

人生的价值，并不是用时间，而是用深

度去衡量。

——列夫·托尔斯泰

生命的价值不在于活了多少天，而在于我们如何使用这些日子。

——蒙田

人生里有价值的事，并不是人生的美丽，却是人生的酸苦。

——哈代

目标有价值，生活才有价值。

——黑格尔

最值得高度珍惜的莫过于每一天的价值。

——歌德

你若要喜爱你自己的价值，你就得给世界创造价值。

——歌德

最美好的人生途径就是创造价值。

——池田大作

只要活着，就应该做一些有益的事，从中领悟到生命的价值。能够自如地延展精神世界的人，值得我们尊敬。

——武者小路实笃

人应该为自己的思想去献身，而不是为别人的癫狂去送死。

——茨威格

真正的价值并不在人生的舞台上，而在我们扮演的角色中。

——席勒

人生之价值，视其事业而不在年寿。

——蔡元培

一个人价值，也体现在对抗生死与腐朽

的生活模式中，以及建立生动和欢乐的新生活中所具有的才能和力量。

——高尔基

如果市场的变迁决定了人的价值，那么，人的尊严感、自豪感就被摧毁了。

——弗洛姆

至于我，生来就为公众利益而劳动，从来不想去表明自己的功绩。唯一的慰藉，就是希望在我们的蜂巢里，能够看到我们自己的一滴蜜。

——克雷洛夫

人生最终的价值在于觉醒和思考的能力，而不只在于生存。

——亚里士多德

自由就是做一切法律许可的事的权利；如果一个公民能够做法律所禁止的事，那就不再有自由了，因为别的人同样也可以有这种权利。

——孟德斯鸠

人们往往把任性也叫作自由，但是任性只是非理性的自由，任性的选择和自决都不是出于意志的理性，而是出于偶然的动机以及这种动机对感性外在世界的依赖。

——黑格尔

自由向来是一切财富中最昂贵的财富。

——罗曼·罗兰

我不同意你说的话，但我会拼命维护你说话的权利。

——伏尔泰

谁需要的越小，他的幸福就越大；谁希望的越少，他的自由就越多。

——高尔基

生命之河在它的这一岸边享有自由，在另一岸边就会受到约束。

——泰戈尔

不要过分的醉心放任自由，一点儿也不加限制的自由，它的害处与危险实在不少。

——克雷洛夫

如果我们心中没有自由与宁静，如果我们内心深处的自我只是一潭污浊的死水，那么争取身外的自由又有什么意义？

——梭罗

为了享有自由，我们自己必须控制自己。

——伍尔夫

一个人要宣称自己是自由的，就会同时感到他是受约束的。如果他敢于宣称自己是受约束的，他就会感到自己是自由的。

——歌德

纪律是自由的第一条件。

——黑格尔

个人的自由，以不侵犯他人的自由为自由。

——穆勒

自由意味着职责，那就是为何多数人畏惧它的缘故。

——萧伯纳

不能制约自己的人，不能称之为自由的人。

——毕达哥拉斯

无知者是不自由的，因为和他对立的是一个陌生的世界。

——黑格尔

4.

格局决定结局

☞ 当人类撒播第一粒种子的时候，农业社会诞生了；当人类透过闪亮的麦穗尖儿第一次注意到太阳的光辉时，宗教诞生了；当人类吃着土地里生长出来的产品并且忍受着消化不良的煎熬时，哲学诞生了。人类对世界的认识，有一个由远到近、由大到小、由表及里、由浅入深的过程。

☞ 文艺复兴运动冲破了中世纪的愚昧，最终发现了人。18、19 世纪女权运动又发现了女人。20 世纪初，杜威提出了“儿童中心论”，世界开始发现了儿童。21 世纪的今天，我们应该更深入地关注人的内在，关注人的潜能。

☞ 有容乃大，无欲则刚，正是自然规律中的一条。

☞ 面对困难时，我们可以有多种解决方法。但是，我们现在讨论的不是方法论问题，而是价值观问题，也就是说，是对待困难的态度问题。

故事 31

庄周晓梦迷蝴蝶

一天，庄子做了这样一个梦：

春天的花丛中，一群蝴蝶正在翩翩起舞。百花娇艳，蝶翼轻盈，两者交相辉映，煞是好看。

忽然，有一只蝴蝶吸引了庄子的注意力。这是一只与众不同的蝴蝶，它并没有痴缠着美丽的鲜花，反而向着庄子轻轻舞着。庄子觉得它似乎认识自己，正在试图用肢体语言向自己表达着什么。想着想着，庄子不由自主地向蝴蝶走去，蝴蝶看到庄子过来，先是飞开了一点距离，然后又停下来继续起舞。

庄子心里觉得奇怪，脚下也开始加快步伐。可是，不管庄子怎么追，那只蝴蝶始终同他保持着不近不远的距离，依旧舞得轻盈而美丽。庄子心里一急，身子竟然腾空而起，他回头一看，发现自己的背上也隐约生出了一对透明的羽翅。就这样，庄子随着蝴蝶一起在天地间任意地遨游起来，心情感到无比舒畅。

第二天早上，庄子起来的时候，回想起昨天的梦，一种怅然若失的感觉涌上心头。他悄声对自己说道："这真的是一场梦吗？究竟是我化作了蝴蝶，还是蝴蝶化作了我呢？如果真的是梦，那么到底是我梦见了蝴蝶，还是蝴蝶梦见了我庄周呢？我与蝴蝶一定是有区别的。但我能变成蝴蝶，蝴蝶也能变成我，恐怕是因为我与蝴蝶都是道的具体表现，在本质上是相通的吧？"

自我意识的觉醒

庄周梦蝶，其实是一次人类主体意识即自我意识的觉醒。庄子醒来后所考虑的问题其实就是在问自己："我是谁?""我从哪里来?""我为什么会在这里?"

当人类撒播第一粒种子的时候，农业社会诞生了；当人类透过闪亮的麦穗尖儿第一次注意到太阳的光辉时，宗教诞生了；当人类吃着土地里生长出来的产品并且忍受着消化不良的煎熬时，哲学诞生了。人类对世界的认识，有一个由远到近、由大到小、由表及里、由浅入深的过程。

在哲学的童年，人们对整个世界的认识还是相当肤浅甚至荒谬的。古希腊的哲学家们基本是通过观察星象来进行哲学思考的，从天地日月星辰宇宙，直到穷尽了自然界以后，才把目光放回到人类自身之上的。文艺复兴运动冲破了中世纪的愚昧，最终发现了人。18、19世纪女权运动又发现了女人。20

世纪初，杜威提出了“儿童中心论”，世界开始发现了儿童。

21 世纪的今天，我们应该更深入地关注人的内在，关注人的潜能。

故事 32

人生的圆圈

大约 20 年前，我在一家电话推销公司作为业务员接受培训。有一次，主管在培训课上用图诠释了一个人生寓意。

他首先在黑板上画了一幅图：在一个圆圈中间站着一个人。接着，他在圆圈的里面加上了一座房子、一辆汽车、一些朋友。

主管说："这是你的舒服区。这个圆圈里面的东西对你至关重要：你的住房、你的家庭、你的朋友，还有你的工作。在这个圆圈里头，人们会觉得自在、安全，远离危险或争端。”

“现在，谁能告诉我，当你跨出这个圈子后，会发生什么？”

教室里顿时鸦雀无声。

一位积极的学员打破沉默：“会害怕。”

另一位认为：“会出错。”

这时，主管微笑着说：“当你犯错误了，其结果是什么呢？”

最初回答问题的那名学员大声答道：“我会从中学到东西。”

“正是，你会从错误中学到东西。当你离开舒服区以后，你学到了你以前不知道的东西，你增加了自己的见识，所以你进步了。”

主管再次转向黑板，在原来那个圈子之外画了个更大的圆圈，还加上些新的东西，如更多的朋友、一座更大的房子，等等。

“如果你老是在自己的舒服区里头打转，你就永远无法扩大你的视野，永远无法学到新的东西。只有当你跨出舒服区以后，你才能使自己人生的圆圈变大，你才能把自己塑造成一个更优秀的人。”

酷评

挑战自我

曾经有不少哲人画过一大一小两个圆，大的代表自己的知识，小的代表学生的知识，借以说明自己不懂的东西更多。然而，他们都没有说明此后怎么办。

其实，你需要做的是：

第一，要敢于画出一个大圆。

敢于跳出原来的生活圈子，投入到全新的世界。比如，你可以换一个环境，甚至出国。这样，你就会以一个全新的视角来看待这个世界。

第二，学会适应大圆。

一开始，你会有为时两星期左右的新鲜感。然后，你就要开始适应这个新的环境。你会慢慢地受到教育，得到提高。

用这样的方法，你学会挑战自我。

故事 33

一屁打过江

宋朝的大学士苏东坡居士，是一位虔诚的佛教徒。他为人耿直，所以仕途并不顺利。

当他被贬到江北瓜洲（今江苏扬州市邗江区南）做官的时候，和一江之隔的金山寺高僧佛印禅师相处得很好，经常谈经论道。

有一天，他的灵感来了，随即写了一首自诩为不朽的五言诗偈：

稽首天中天，毫光照大千；
八风吹不动，端坐紫金莲。

他再三吟咏，得意非凡，相信如果让佛印禅师看到，一定会赞不绝口，于是赶紧派书童过江，专程送给佛印禅师去欣赏。谁知禅师看完，不禁莞尔而笑，略一沉吟，只批了两个字，便交给书童原封带回。

苏东坡在期待中接过“佳音”，总以为禅师会赞叹一番，急忙打开一看，只见禅师歪歪斜斜地写了“放屁”两个大字。

“岂有此理！”苏东坡拍案而起，“怎么可以这样批评我的诗，我要找他去评评理！”

苏东坡随即让书童赶忙再备船过江，亲自到金山寺去找佛印禅师兴师问罪。船才靠了岸，便发现佛印禅师已站在江边含笑相迎了。东坡一见佛印禅师，便怒气冲冲地吼道：“大师！还亏我们是朋友，纵然我的文字不够水平，你是一个有修养的出家人，怎么可以随便骂人？”

“什么？”禅师装作若无其事的样子问道：“我骂你什么了？”

苏东坡一听，脸都涨得通红，已经气得说不出话来，只颤抖着手，指着“放屁”两个字，让佛印自己去看。

禅师不禁哈哈大笑道：“我的大学士！你不是自夸‘八风吹不动’吗？怎么一个屁就把你打过江来了呢？”

苏东坡到此才恍然大悟，只好低头不语，唯有惭愧而已！

酷评

坦然面对生活的逼问

如果不是禅师，苏东坡还有可能沾沾自喜，认为自己已经得道了呢。可见强中还有强中手，禅师的两个字，就把苏东坡打回了原形。

首先，山外有山，天外有天。这个故事告诉我们，不要认为自己已经是某方面的专家或权威了，生活中自然有比你知道得更多、考虑得更周详的人。可是骄傲、成功、喜悦会冲昏我们的头脑，就会忘乎所以，将这句

人生百态似潮涌
起伏无常自有时
得意洋洋须谨慎
失意落魄莫言迟
勤学苦练成大事
节俭持家过苦期
风雨之后见彩虹
欢声笑语满神州
老潘信印

古话抛到九霄云外了。

最后，生活对我们时常有逼问，只有自己亲身经历过了才能回答。生活给予我们的有称赞也有责骂，有挫折也有享受，有荣誉也有羞辱，正所谓人生百味，个中的滋味只有当事人自己明白。当别人称赞自己的时候，我们往往谦虚地摇摇头说“不敢当”，可心里却不免乐滋滋。可是在工作中，当人家斥责我们或者只不过是提出善意的批评时，我们是否还能够平心静气地对待呢？我们真的能宠辱不惊，谦虚地接受意见吗？

生活的逼问使得大多数的我们也像苏东坡一样。生活对我们的逼问，是为了让我们认识到：面对人生的八股风——称、讥、毁、誉、利、衰、苦、乐，千万别让它们把我们吹得团团转！

故事 34

戏剧人生

王安石是我国历史上一位杰出的政治家、思想家、文学家。他从北宋熙宁二年（1069）被任命为参知政事，择日拜相。上台后，他就开始进行了历史上赫赫有名的变法运动，史称“王安石变法”。但保守派处处反对，并迫使宋神宗于熙宁七年将他罢官。第二年，宋神宗又再度请他出山，可惜好景不长，只干了一年，王安石又被罢官了，于是他就隐居江宁（今江苏南京）了。

宦海沉浮，王安石对世态看得比较淡泊，

所以他在官场中总能保持清醒的头脑，并常有隐退的念头。当他拜相之时，贺客盈门，大多是趋炎附势之徒。元宵节的晚上，宋神宗赐宴相国寺，并一起观看了优伶演出。舞台上的戏演了一场又一场，就好像人生的一幕幕。王安石触景生情，即作一偈：

诸优戏场中，一贵复一贱。
心知本相同，所以无欣怨。

王安石是个聪明人，虽然推行新法时急功近利，但当变法失败以后，他并没有因为被罢免而感到失落，因为他早已经有了思想准备。他的一生，从平凡到富贵，从绚烂到平淡，曲折起伏，高潮迭起，矛盾百出，很有戏剧色彩。可以说，王安石的一生就像是一出戏。

酷评

舞台小天地，天地大舞台

人生如戏。在天地这个大舞台上，幕起

幕落，每天要上演很多幕戏，有喜剧有悲剧，还有闹剧。我们在其中就扮演着生旦净末丑的角色，角色并不是一成不变的，而是随着时间、地点、人物的不同发生转换。我们每个人都是一个非常棒的演员，因为我们要扮

演的角色实在是太纷繁复杂了。既可以是子女，也可以是父母；既可以是丈夫妻子，也可以是一个公司的职员……

戏剧的最大特点就是有矛盾、有冲突，而生活又远比故事来得精彩。我们无法预测下一刻在我们身上会发生怎样的故事，我们将扮演怎样的角色。落榜、失业、疾病、分离、死亡，这些随时都可能发生。生活就像一句电影台词说的那样："我猜中故事前半段，却猜不中结局。"

面对这样的人生，我们究竟该何去何从呢？心态很重要。既然我们已经知道人生有许多未知数，那么就必须作好准备，去承受生命中那些我们可能无法承受的轻重。没有一个人的人生是一根单纯向上的直线。如果我们对人生要有这样的预期，那么至少可以增加缓冲，就好比打了预防针。

故事35

黄帝闲居

话说黄帝连日来为政事劳累不堪，面色憔悴，心情迷乱。于是，他决定闲居一段时间。

一天，他正在睡午觉，突然梦见自己游玩到了一个国家。那个国家没有君主和官吏，一切都听任自然。老百姓也都无欲无求，自然而然。他们不知道迷恋生存，也不知道厌恶死亡，所以没有一个短命早死的。他们不知道偏爱自己，也不知道疏远别人，所以不欢喜也不憎恨。他们更不知违背自己的意愿去迎合别人，不知蝇营狗苟地去追求私利，因此没有利益和祸害。

那个国家的人民不知道什么叫畏惧。投进水里，他们不会淹死；跳进火里，他们不会烧伤；甚至连刀砍和鞭打，也不会让他们感到疼痛。他们可以升到半空中，就好像脚踏实地一样自在；睡在空中，就好像睡在床铺上一样舒服。他们的视线不会被云雾遮挡，听觉不会被雷电所扰乱，心境更不会被喜好所迷惑，连山谷都休想绊住他们的脚步。

黄帝梦醒后，怡然自得，召见他的大臣说："我闲居了三个月，清心寡欲，思考调养身体、治理天下的道理，但一直没有想通。直到做了这个梦才悟到真谛。现在我已经知道，最高深的道理是不能依常理去探求的。我领会了！我获得了真理！但我没办法告诉你们！"

酷评

有容乃大，无欲则刚

自然法则是最高的法则，我们应该顺应

它，而不是违背它。

林语堂先生在其名著《中国人》里，不无幽默地说过，中国人是从日本的轰炸机才看到现代科学的传播，从日本的坦克才看到现代机械。但是，日本的轰炸机却不能炸毁作用力与反作用力的自然定律。当中华民族生死命悬一线的时候，当中华民族面临存亡的危急关口，这种民族救亡精神将体现出巨

大的反作用力，而这种反作用力是一种自然法则的产物，当然远强于人类机械的威力。日本帝国主义正是忘记了这样一个反作用力的存在，逆自然法则而行，他们的失败是一开始就已经注定了的。

人首先要有胆量，之后才能够去团结更多的人，才能壮大自己与朋友的阵营。这种胆量来源于对自然万物的顺势而行，来源于超脱淡然的忘我精神。有容乃大，无欲则刚，正是符合了自然规律。

现在流行一句话：就怕领导没爱好。不错，欲望代表着一个人的弱点，欲望是攻破防线的突破口，自然有人会投其所好，而这只是伤害的前奏。所以，克制自己的欲望，这样才能掩饰自己的弱点。

名人名言

有人活着没有任何生活目标，他们在世间行走，就像河中的小草，他们不是行走，而是随波逐流。

——塞涅卡

只有向自己提出伟大的目标并以自己的全部力量为之奋斗的人，才是幸福的人。

——加里宁

目标愈高，志向就愈可贵。

——塞万提斯

没有一定的目标，智慧就会丧失；哪儿都是目标，哪儿就没有目标。

——蒙田

人有智慧，就是要达到他所期望的目标。

——陀思妥耶夫斯基

有一些宝贵的东西作为它的目标时，生活才有价值。

——黑格尔

我们以人们的目的来判断人的活动，目的伟大，活动才可以说是伟大的。

——契诃夫

走得最慢的人，只要他不丧失目标，也比漫无目的地徘徊的人走得快。

——莱辛

只有那些永远躺在坑里、从不仰望高处

的人，才会掉到坑里去。

——黑格尔

目标越接近，困难越增加。但愿每一个人都像星星一样安详而又从容地不断沿着既定的目标走完自己的路程。

——歌德

向前看总是明智的，但要做到高瞻远瞩并非易事。

——丘吉尔

在理想的最美好的世界中，一切都是为了美好的目的而设。

——伏尔泰

古之立大事者，不惟有超世之才，亦必有坚忍不拔之志。

——苏轼

士之所以能立天下之事者，以其有志而已。

——朱熹

一个人如果胸无大志，即使再有壮丽的举动也称不上是伟人。

——拉罗什富科

工作随着志向走，成功随着工作来，这是一定的规律。

——巴斯德

如果你志在最高处，那么即使滞留在第二高处甚至是第三高处，也并不丢脸。

——西塞罗

志向是天才的幼苗，经过热爱劳动的双手培育，在肥沃土地里将成长为粗壮的大树。

——苏霍姆林斯基

确定志向，就意味着要有所作为，有所创造。

——苏霍姆林斯基

老骥伏枥，志在千里；烈士暮年，壮心不已。

——曹操

有志者事竟成也！

——刘秀

立志、工作、成就，是人类活动的三大要素。立志是事业的大门，工作是登堂入室的旅程。这旅程的尽头就有个成功在等待着，来庆祝你的努力的结果。

——巴斯德

最糟糕的是人们在生活中经常受到错误志向的阻碍而不自知，直到摆脱了那些阻碍时才明白过来。

——歌德

壮志与热情是伟业的辅翼。

——歌德

人不论志气大小，只要尽力而为，矢志不渝，就一定能如愿以偿。

——胡佛

青年，在任何困厄的处境中都有站起来的力量。

——池田大作

谁赢得了年轻人，谁就拥有了未来。

——雅斯贝尔斯

岁月如流水，不断地逝去却又源源而来，唯有青春一去不复返。

——易卜生

5.

观念决定一切

☞ 存在决定意识，意识影响认知，认知决定观念，观念影响认识。

☞ 世界上最难的事不是让人们接受新思想，而是让他们忘却旧观念。时代在发展，科学在进步。往往我们一直以来认为是对的东西，到了现在或者将来，就变成错的。这是完全正常的。只有获得这样的认识，持有这样的观念，我们才会虚心，才会有所进步。

☞ 禅师说："说得有道理啊！你就像这只杯子一样，脑子里装满了你自己的想法，你如果不先把自己的杯子空掉，叫我如何对你说禅？"

☞ 青春，是一本太仓促的书。青春的规则，不是谁笑到最后，谁笑得最好，而是：谁笑到最后，谁就没法笑！

☞ 聚会，不是为了再一次的分手；再见，是为了再一次相见。

故事 36

次非渡河

楚国有一个人名叫次非，他在干遂（今江苏苏州市吴中区西北）得到了一口宝剑。后来，他返回楚国，坐着船横渡长江。船航行到江心的时候，河神掀起滔天大浪，两条蛟龙在船周围绕来绕去，时隐时现。船上的人都吓得变了脸色，腿不停地颤抖。

次非问掌舵的艄公："你见过在这种情况下还能活命的吗？"

艄公说："我从小在江上长大，从来没有见过在这么凶险的情况下还能活命的。今天我们大家是凶多吉少了。”

次非说：“我们做错了什么事吗？河神为什么要掀起这滔天大浪呢？”

艄公说：“想必是因为先生腰里的宝剑。河神发怒了，一定要得到您的宝剑才能平息他的怒气。”

次非听了，顿时怒气冲天，双目圆睁，捋起袖子，抽出宝剑说：“河神只是想要我手中这口宝剑，我丢掉它就可以保全性命。但身为武士，只能为仁义之礼所说服，不能在威胁面前屈服。人的身体只不过是一堆骨头和腐肉，生命对于我来说有什么值得吝惜的呢？”

于是，他纵身跳进江水里刺杀蛟龙，终于斩断了蛟龙的头。江水也因此平息下来，船上的人终于得救了。

孔子听说了这件事，赞叹说：“次非把生命看成一堆骨头和腐肉，宁愿舍弃生命也不丢弃宝剑，真是了不起啊！”

价值观不能混同于方法论

面对困难时，我们可以有多种解决方法。

比如次非渡河时遇到河神发难，他可以选择把宝剑拱手相让；也可以选择宁死不屈，拒不受辱；还可以选择与河神讨价还价，用其他宝物打发他，以求息事宁人。

再比如愚公面对家门口的一座大山，他可以选择移山，也可以选择绕道而行，还可以选择挖隧道，更可以选择搬家。

但是，我们现在讨论的不是方法论问题，而是价值观问题，也就是说，是对待困难的态度问题。

如果次非今天满足了河神的愿望，顺利地过了河，那么明天呢？后天呢？难保下一次过河的时候，河神再看上另一件宝物，又掀起一次滔天巨浪。世界上有的人贪得无厌，得寸进尺，顺从他们只是治标而不治本，只会继续养大他们的胃口，后患无穷。

长痛与短痛，殊死恶战一次或是养虎为

患一生，我们可以选择，并且必须选择。如果我们的选择结果让后人更痛苦，那么我们就是历史的罪人，鄙视我们的，除了我们的子子孙孙，还有我们自己。

故事 37

失乐园

太初的时候，上帝创造了天地。

上帝说："要有光！"于是就有了光。上帝看到光是好的，就把光明与黑暗分开了，并把光明称为白天，把黑暗称为夜晚。这是上帝创世的第一天。

第二天，上帝创造了空气，把空气和水分开了，并称空气为天。

第三天，上帝说："天下的水要聚在一起，使旱地露出来。"于是就有了旱地和海，地上生长出了各种花草树木。

第四天，上帝创造出了太阳和月亮，太阳管白天，月亮管夜晚，又在天空中创造了许多星星，让它们普照大地。

到了第五天，上帝又创造出了水中的各种动物以及天上的各种飞鸟，并赐福让它们滋生繁多。

上帝在第六天，造出了地上的牲畜、昆虫和野兽。也就是在这一天，上帝照着自己的形象，用地上的尘土造了一个人，名叫亚当。

他把亚当安排在伊甸园里，让亚当修理看守园子，并且告诫亚当说，园中的果子都可以吃，就是分别善恶树上的果子绝对不能吃，吃了就会死亡。

后来，上帝发现亚当一个人独居不好，就从亚当身上取下一条肋骨，造成了一个女人——夏娃。从此，亚当和夏娃幸福快乐地生活在伊甸园里，他们赤身裸体，那时，他们都不感到羞耻。

一天，蛇问夏娃："上帝真的不许你们吃

园中所有树上的果子吗?”

夏娃说:“园中树上的果子可以吃,只有分别善恶树上的果子不可以吃,否则就会死去。”

蛇说:“你们吃了不一定会死,神是怕你们吃了以后会像他一样知道善恶。”

夏娃便相信了蛇的话,和亚当一起吃了分别善恶树上的果子,他们两人的眼睛顿时就明亮了。当他们发现自己是赤身裸体时,感到十分羞耻,他们就用无花果树的叶子,为自己编织了一条裙子。

上帝在伊甸园中行走的时候,发现亚当和夏娃都因为知道自己赤身裸体而羞于见他,就知道他们两人一定是偷吃了禁果。上帝愤怒了。

他诅咒蛇必须终生用肚皮行走;女人必须经历怀胎生养的痛苦;男人必须在荆棘满地的田野里劳动,汗流满面才能糊口。

上帝想:他们已经知道了善恶,恐怕他们又会摘生命树上的果子吃,就要永远活着了。于是，上帝便将他们打发出了伊甸园。

酷评

反思一切，包括《圣经》

这个故事，就是《创世记》，是《圣经》中的第一个故事。

失乐园，意味着人类永远无法吃到生命树上的果子，意味着人类无法永生；失乐园，意味着所有男人和女人都有着相似的命运；失乐园，意味着人类永远无法回到伊甸园，永远无法回到天真的时代。

反观我们现在所处的时代，尽管局部战争几乎天天都有，每天都有人为土地而战，新闻也经常给我们带来远处的饥荒、无情的战火依然存在的消息，但从总体上说，我们所处的时代不是战争时代，而是一个和平与发展的时代。在这样的时代，我们已经不需要考虑最基本的生存安全问题，人们更多考虑的是发展问题。有人说，天下熙熙，皆为名利。虽说也不尽然，却也一语道出了众生相。

我们看到：人是禁不起诱惑的，从亚当夏娃时代开始就禁不起诱惑。既然禁不起诱惑，面对名利的时候，人就容易犯错误。

其实，所有的外在力量，都和这条蛇一样，没有强迫我们去做任何事。决定我们命运的关键，是我们自己的思考和判断。中国有句古话：君子爱财，取之有道。这个“道”，还是要自己拿出来的。

另外，在夫妻关系上，我们看到，往往是妻子先觉醒。

关于《创世记》，后来还有两个故事。

故事一：1933 年，在波士顿，有一位生物学老师在课堂上讲述进化论，但被教会告上了法庭，因为进化论与《圣经》相抵触。在法庭辩论中，他当众质问《圣经》的经典解释者，也就是原告：《创世记》第一天没有太阳怎么会有光？还有，蛇在受惩罚之前是用什么走路的？所有人都无言以对。自从《圣经》诞生后的那么多年，每天都有无数的人在读《圣经》，但是，为什么只有他想到了其中有问题？所以，所有的事都要经过自己的大脑去重新思考一遍，连《圣经》也不例外。

故事二：《创世记》第一天上帝的那句话："And the God said, Let there be light: and there was light."中文一般译为："神说要有光，于是便有了光。"但是，过去有一位中国的老先生改了一字，译为："神说宜有光，于是便有了光。"一个"宜"字，把上帝的谦逊平和刻画得淋漓尽致。一字之差，境界完全不同！

故事 38

毫无意义的规章制度

有一位名叫罗杰的美国工程师，在读统计数字时，发现美国境内的铁轨宽度统一为4英尺8.5英寸——看来是一个很合适的宽度。但是，是什么确定了这个莫名其妙的数值呢？

经过一番调查，罗杰有了一些有趣的发现：

美国铁路的第一批建设者，就是那些修建市内有轨电车的人。有轨电车使用的十几年间工作得很好，而有轨电车建设的早期，许多制造公司是从马车生产商转产而来的。他们带来了生产马车的技术、经验和尺寸。而美国的马车是从英国来的，英国的国家标准规定：马车的标准轮距是4英尺8.5英寸——这个尺寸，正好可以让两匹马并行拉车。

一直以来，没有人去改变这已经毫无意义、不合时宜的标准。

酷评

破除旧观念

存在决定意识，意识影响认知，认知决定观念，观念影响认识。

蒸汽机时代与马车时代，是完全不同的时代。时代在前进，规则也应该改变。这里有一个类似的故事：

一位年轻的炮兵军官上任后，到下属部队视察操练情况，发现有几个部队操练时有一个共同的情况：在操练中，总有一个士兵自始至终站在大炮的炮筒下，纹丝不动。经过询问，得到的答案是：操练条例就是这样规定的。原来，条例因循的是用马拉大炮时代的规则，当时站在炮筒下的士兵的任务是拉住马的缰绳，防止大炮发射后因后坐力产生的距离偏差，减少再次瞄准的时间。现在大炮不再需要这一角色了，但条例没有及时调整，于是就出现了不拉马的士兵。这位军官的发现，使他受到了国防部的表彰。

“从来如此，便对吗?”这是鲁迅在《狂人日记》里，借狂人之口说出的千古名言。这句名言，可以说是惊天地、动鬼神！

世界上最难的事不是让人们接受新思想，而是让他们忘却旧观念！敢于向过去挑战、向旧观念挑战、向传统势力挑战，只有这样，才会有历史性的进步。

当然，这个故事还告诉我们很多：比如做事情要认真，打破砂锅问到底……总之，只有敢想敢为，人类才会有进步。

故事 39

丘神仙远赴蒙古

丘处机，道号长春子，早年追随王重阳传教，是王重阳门下的四大弟子之一，后来创立了全真教的“龙门派”。他广收弟子，声名远播。金大定二十八年（1188 年），金世宗诏请丘处机入燕京主持“万春节”醮事，并赐予他“高功法师”之号。

这时，蒙古和金廷连年交战，北方陷入一片战火，百姓饱尝战争之苦，纷纷向宗教寻求寄托。而全真教迎合了百姓的需求，深得人心，在民间迅猛发展。金、蒙、南宋三方都看到了全真教的利用价值，都想将它拉入自己旗下。

蒙古成吉思汗十四年（1219年），金廷和南宋先后派遣使者来到登州栖霞（今属山东），但目光远大的丘处机却看好成吉思汗。次年，当远在东亚的成吉思汗遣使来到，七十高龄的丘处机欣然从命。他不畏路途遥远，年迈体弱，带着18名弟子，历时三年，跋涉一万多里，终于在成吉思汗十七年（1222年）到达印度大雪山之南成吉思汗的帐前。

成吉思汗在行宫中设宴盛情地款待他，并向他请教治国之道和长生之术，他说“敬天爱民”为治国之本，“清心寡欲”为长生之道，并进一步劝诫：“您已有四海之地，应当停止无益的征伐，选贤能之士并加以启用，适当地免去赋税，使百姓恢复农业生产，重振家园，只有这样才能安定天下。”

成吉思汗听了，不住地点头称道，待他为上宾，并留他住在营房附近，好随时求教。

一天，空中突然响起几声炸雷，响声令

人心惊肉跳，成吉思汗忙派人去请丘处机，一见面就问：“我们蒙古人一向敬畏上天，不知刚才的震雷为何而降？”

丘处机乘机诱导说：“三千之罪，莫大于不孝。你们蒙古人不孝敬父母，应从此改掉这种陋习才对。”

成吉思汗于是对满朝官员训诫说：“上天派神仙来协助我们，你们一定要将他的话铭记在心！”

次年三月，丘处机提出东归的请求，成吉思汗挽留不住，只好同意。他下诏免去全真教的一切赋税差役，并赐给丘处机虎牌玺书，令他掌管天下道教，还派了一千多名士兵沿途护送。

酷评

世上没有人不能转变观念

丘处机是一个很懂得推销之术的人。

首先，他知道必须要找对客户。不是他的客户，比如南宋，比如金廷，哪怕送上门

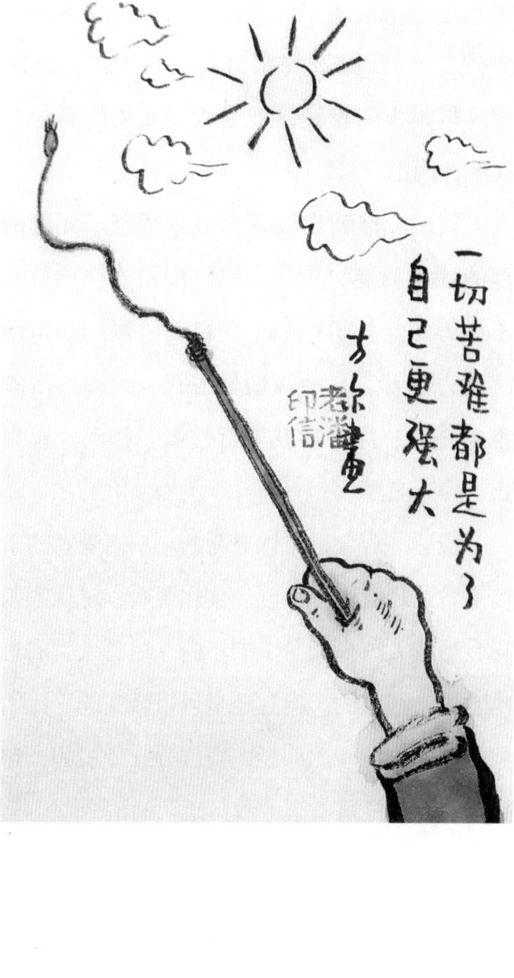
一切苦难都是为了
自己更强大

来也要断然拒绝。而一旦认定了客户，比如蒙古，就要不远万里、坚定不移、排除万难去接近它。所谓“良禽择木而栖，贤臣择主而侍”。你所挑选的服务对象代表了你的眼光，也是你的推销事业是否能成功的第一个决定性因素。

其次，推销也要讲究战术战略，死磨硬泡的战术可能也管用，但付出和收获未免太不相等。丘处机明白，关键的时候，一句话就威力足够了，所以他借着欢宴之际，借着雷击之际，几句话就为百姓谋了福利，也为自己挣了名声。

最后，观念是可以更新的。从接受者的角度来看，尽管由于种族、文化背景、时代等差异会造成人与人观念上的不同，尽管人类的思维看上去很顽固，但它还是可以转变的。比如蒙古人的道德观念问题，竟因为丘处机的一句话，成吉思汗就发了“改规矩”的诏令。

可见，世上没有人不能转变观念，没有百分百顽固的头脑，只看你推销的本领有多高。

故事 40

著名的告别话

在生活中，说“再见”的机会跟说“你好”一样多。这个不幸的事实曾被概括为：“相遇、结识、恋爱，然后又分离，在许多人心中留下忧伤的记忆。”

在一个人要离开的时候，主观意识上会出现一些意味深长或荒谬可笑的预感。所以，很多人都是先留下诀别的话，然后才依依惜别。

既然已决定要说“再见”，问题在于如何把这句道别的话说得恰如其分。

英国大诗人拜伦曾写道:“当永别人世时,所有告别话会一涌而出。”

最令人心碎的道别话,要数莎士比亚的《罗密欧与朱丽叶》一剧中,罗密欧所说的一段台词:“晚安,再见!分别竟是这样一种甜蜜的悲哀,我要念叨着晚安、再见……一直到明天。”

英国前首相温斯顿·丘吉尔,在谈到他在英国首次公民投票选举中获胜的感受时说:“1940 年 5 月 10 日那天晚上,在这场权力之战刚开始时,我便掌握了国家大权。此后 5 年零 3 个月的世界大战中,我运用这个权力为国家办了许多事。当我就职期满时,我们的敌人无条件投降了。由于英国选民们要求进一步管理国家大事,我随即离职。”

此后,又过了好些年,丘吉尔对死神笑脸相迎:“我已做好去见上帝的准备。至于上帝是否想在召见我之前还要磨练一下我,那是另外一回事。”

英国大作家萧伯纳是个现实主义者,他

临死前对护士说："小妹妹，你尽心竭力要让我活在世上，正如保存一件老古董一样。但是我已不中用了，生命即将结束，我正走向死亡。"

酷评

天下没有不散的筵席

中国有一句最富有悲剧性的话：天下没有不散的筵席。

生活中充满了聚散。有相聚的美好，就有了离散的凄楚；有相聚的开心，就有了离散的失落；有相聚的充实，就有了离散的空虚。

是的，天下没有不散的筵席，我们需要好好珍惜自己已经拥有的一切。而我们现在拥有的一切，早晚终究会离我们而去。当你忽略它时，要经常想想得来的不易；当你意识到它即将消失的时候，请及时把握现在的分分秒秒。

"书到用时方恨少，事非经过不知难。"

每个人都不知道自己现在做的哪些是对的，哪些是错的，而当我们终于要向它告别的时候，才明白对与错。

生活是一张单程车票，我们现在所能做的就是尽力做好每一件事，然后等待时间来证明一切。

青春，是一本太仓促的书。青春的规则，不是谁笑到最后，谁笑得最好，而是：谁笑到最后，谁就没法笑！面对即将离去的青春，面对终将离去的人生，愿我们能平静而无憾地说一声："再见！"

名人名言

一个人的行为依赖于他的观念和理想。

——莫里斯

有真切的见解，才有精明的行为。

——鲁迅

行动就比是一个什么钥匙都可以开的匣子。

——萨特

伟大的生活目标不是知识，而是行动。

——赫胥黎

为了伟大的目标，必须使用伟大的力量。

——西奥多·罗斯福

有什么样的行为就有什么样的名声。

——亚里士多德

我们的行为决定了我们的人品，正如我们的人品决定了我们的行为。

——艾略特

我们的行为就像某些押韵诗词，每个人都能把它放进喜悦的形式里。

——拉罗什富科

行动是通往知识的唯一道路。

——萧伯纳

人生来是为行动的，就像火光总是向上腾，石头总是往下落。对人说来，无行动，就等于他并不存在。

——伏尔泰

一切伟大的行动和一切伟大的思想，都拥有一个微不足道的开始。

——加缪

在生活中，真正的问题不在于我们得到什么，而在于我们做什么。

——卡莱尔

人的行动比语言文字更能表现自己。

——安德烈·纪德

没有行动，思想永远不能成熟而化为真理。

——爱默生

人生的终点并不是抽象的知识，而是具体的行动。

——赫胥黎

行动往往胜于雄辩。

——莎士比亚

最可怕的莫过于无知而行动。

——歌德

行动不一定每次都带来幸运，但坐而不行，一定无任何幸运可言。

——迪斯累里

一个人不断重复自己的行动，他就会变得越来越固执、越来越墨守成规。

——弗洛姆

期望而不行动孕育着灾难。

——布莱克

我所想的只是如何打好比赛，而不是对手是谁。如果说有所不同，那就是与我对位的对手影子小了许多。

——姚明

生活的智慧，大概就在于遇事问个为什么。

——巴尔扎克

生活，只有在平淡无味的人看来，才是空虚而平淡无味的。

——车尔尼雪夫斯基

你的学校也许已经不再分优等生和劣等生，但生活却仍在作出类似区分。

——比尔·盖茨

生活是不公平的，要去适应它。

——比尔·盖茨

生活的全部意义在于无穷地探索尚未知道的东西，在于不断地增加更多的知识。

——左拉

幸运并非没有许多的恐惧与烦恼；厄运也并非没有许多的安慰与希望。

——培根

通向荣誉的路上，并不铺满鲜花。

——但丁

奇迹多在厄运中出现。

——培根

后记

成为“知道”的人

人分四种：不知道自己不知道，知道自己不知道，知道自己知道，不知道自己知道。其实，这也是个人要经历的四个阶段。

如何成为“知道”的人？

我担任大学老师40年，天天“传道授业解惑”，教过的学生数以千计。在与几代学生朝夕相处中，充分了解年轻人的所思所想，常常讲述一些经典故事来引导学生更新观念，也曾出版过十多本故事书，并欣喜地看到，我们的故事被一些知名企业用于内部培训。

通过对毕业生的追踪调查，发现在社会上成长得最好的那部分毕业生，大多不是学校里面传统意义上的好学生，由此引发深入思考。究其原因，不仅仅是智商与情商问题，更在于深层次的认知与观念水平。

为引领当今的年轻读者在最短时间里迅速更新观念，走上成功道路，开创全新人生，我们精选了古今中外的经典故事，从故事的文化背景看，有东方的与西方的故事；从故事的内容看，有禅宗的、道家的，以及幽默故事等。与一般故事书不同，每则故事后面都有详细解读，引发思考。

如今的这套“人生360度·一分钟经典故事”，包括《不知道自己不知道》《有一种人生叫等待》《没有上锁的门》《只有一根柱子》《画好自己的底线》《宽容是件奢侈品》6本。除了故事，除了酷评，我们还汇集了相关的名人名言，配以读者喜闻乐见的漫画。我们希望通过这些内容，揭示人生智慧，传播现代观念，让每一位读者成为“知道”的人。我们坚信：更新观念，是走向成功的必由之路。

在此，感谢参与丛书编写的陈鸣、戴旻理、金怡、金婕、陆雅茹、徐蕾蕾、马骏骥等合作者，尤其要感谢漫画家、篆刻家潘方尔先生与上海辞书出版社文化读物编辑室主任朱志凌先生。

康桥写于 2024 年开学季

图书在版编目(CIP)数据

不知道自己不知道/康桥编著；潘方尔绘. 上海：上海辞书出版社，2024. —(人生360度：一分钟经典故事). —ISBN 978-7-5326-6262-3

Ⅰ. I14

中国国家版本馆 CIP 数据核字第 2024WP5884 号

人生 360 度 · 一分钟经典故事

不知道自己不知道

康 桥 编著 潘方尔 绘

策划统筹	朱志凌	书名篆刻	潘方尔
责任编辑	朱志凌	图片编辑	洪 文
文字编辑	李婉青	整体设计	零贰壹肆设计工作室
技术编辑	楼微雯		

出版发行 上海世纪出版集团
上海辞书出版社®(www.cishu.com.cn)
地 址 上海市闵行区号景路159弄B座(邮政编码:201101)
印 刷 浙江经纬印业股份有限公司
开 本 787毫米×1092毫米 1/32
印 张 6.75
字 数 85 000
版 次 2024年9月第1版 2024年9月第1次印刷
书 号 ISBN 978-7-5326-6262-3/I·593
定 价 39.80元